补偿收缩混凝土应用技术导则

Technical guidelines for shrinkage compensating concrete

RISN-TG002-2006

建设部标准定额研究所　编

中国建筑工业出版社

2006　北京

补偿收缩混凝土应用技术导则

Technical guidelines for shrinkage compensating concrete

RISN-TG002-2006

建设部标准定额研究所 编

*

中国建筑工业出版社出版、发行（北京西郊百万庄）

新 华 书 店 经 销

北京密云红光制版公司制版

北京市兴顺印刷厂印刷

*

开本：850×1168 毫米 1/32 印张：5⅜ 字数：144 千字

2006 年 10 月第一版 2007 年 1 月第二次印刷

印数：5,001—8,000 册 定价：16.00 元

统一书号：15112·14416

本社网址：http://www. cabp. com. cn

网上书店：http://www. china-building. com. cn

本书主要包括三方面内容：补偿收缩混凝土应用技术导则、相关标准规范、补偿收缩混凝土技术及实例。其中技术导则由总则，术语，技术要求，设计原则，原材料选择，配合比，制造和运输，浇筑和养护，施工缝、防水节点和施工缺陷的处理措施，附录 A 和 B 等内容组成。

　　本书可供工程设计、施工、建材产品研发等相关专业技术人员参考使用。

责任编辑：孙玉珍

责任设计：崔兰萍

责任校对：张景秋　关　健

《补偿收缩混凝土应用技术导则》
编写委员名单

主 任 委 员：赵顺增

副主任委员：雷丽英　游宝坤　李乃珍

编　　　委：林常青　刘　立　韩立林　江云安

陈旭峰　董同刚　李光明　鲁统卫

刘加平　刘福全　丁小富　柯穗城

袁　兵　邓庆洪

《补偿收缩混凝土应用技术导则》 参编单位

中国硅酸盐学会混凝土与水泥制品分会膨胀与自应力混凝土专业委员会

中国建筑材料科学研究总院

山东省建筑科学研究院

天津豹鸣股份有限公司

重庆市江北特种建材有限公司

石家庄市功能建材有限公司

江苏博特新材料有限公司

南京特种建筑材料股份有限公司

浙江合力新型建材有限公司

杭州力顿新型建材有限公司

深圳市陆基建材技术有限公司

前　言

　　工程建设标准是在建设领域实行科学管理、强化政府宏观调控的基础和手段，对规范建设市场各方主体行为、确保建设工程安全和质量、促进建设工程技术进步、提高建设工程经济效益与社会效益等具有重要作用。

　　近年来，随着我国社会主义市场经济体制的建立和不断完善，以及加入世界贸易组织的实际需要，作为工程建设标准化的直接成果，已发布数千项工程建设标准，基本覆盖了工程建设各领域、各环节，规范并指导着建设活动各方的技术行为和管理行为。但同时，由于建设领域科学技术迅速发展、建设经验的不断积累、建设活动的复杂性以及标准制定条件的限制，现行标准还不能及时并全面地为建设活动各方尤其是广大工程技术与管理人员提供指导。

　　我所作为建设部工程建设标准化研究与组织机构，在长期标准化研究与管理经验的基础上，结合工程建设标准化改革实践，组织国内外相关领域的权威机构和人员，通过严谨的研究与编制程序，为推进建设科技新成果的实际应用，促进工程建设标准的准确实施，引导建设技术发展方向，拓展工程建设标准化外衍成果，将陆续推出各专业领域的系列《技术导则》，以作为指导广大工程技术与管理人员建设实践活动的重要参考。

　　《补偿收缩混凝土应用技术导则》是该系列《技术导则》之一，编号 RISN‐TG002‐2006，内容包括补偿收缩混凝土应用技术导则、相关标准规范、补偿收缩混凝土技术及实例。

　　该系列《技术导则》及内容均不能作为使用者规避或免除相关义务与责任的依据。

建设部标准定额研究所

2006 年 8 月

目　次

第一部分　补偿收缩混凝土应用技术导则

1　总则 ……………………………………………………………… 2
2　术语 ……………………………………………………………… 4
3　技术要求 ………………………………………………………… 9
4　设计原则 ……………………………………………………… 11
5　原材料选择 …………………………………………………… 18
6　配合比 ………………………………………………………… 20
7　制造和运输 …………………………………………………… 24
8　浇筑和养护 …………………………………………………… 26
9　施工缝、防水节点和施工缺陷的处理措施 ……………… 29
附录A　补偿收缩混凝土的收缩应力测试
　　　　及评价方法 …………………………………………… 30
附录B　限制状态下补偿收缩混凝土抗压
　　　　强度检验方法 ……………………………………… 35

第二部分　相关标准规范

《混凝土膨胀剂》JC 476-2001 …………………………… 38
《混凝土外加剂应用技术规范》GB 50119-2003
——膨胀剂 …………………………………………………… 48

第三部分　补偿收缩混凝土技术及实例

专题一　补偿收缩混凝土应用技术现状与发展 ………… 60
专题二　补偿收缩混凝土的基本性能 …………………… 72
专题三　补偿收缩混凝土的结构设计 …………………… 104

专题四　混凝土干燥收缩开裂评价及其试验方法⋯⋯⋯⋯ 116

专题五　补偿收缩混凝土的应用注意事项⋯⋯⋯⋯⋯⋯⋯ 129

专题六　补偿收缩混凝土工程应用实例介绍⋯⋯⋯⋯⋯⋯ 141

第一部分

补偿收缩混凝土应用技术导则

1 总　　则

1.0.1　为指导补偿收缩混凝土的工程应用，减免混凝土收缩裂缝，提高混凝土结构耐久性，保证工程质量，制定本导则。

【1.0.1解析】　制定本导则的目的，即提出补偿收缩混凝土的基本原则与要求，指导补偿收缩混凝土工程的设计与施工，从而保证补偿收缩混凝土的工程质量。本导则的直接服务对象是设计和施工人员。

1.0.2　本导则主要适用于结构自防水、填充性膨胀混凝土工程、延长建筑物伸缩缝或后浇带间距的连续浇筑的钢筋混凝土工程以及大体积混凝土工程。

【1.0.2解析】　本导则的适用范围。对于留有后浇带或有抗渗要求的一般钢筋混凝土工程，使用补偿收缩混凝土，更利于保证工程质量与提高耐久性。

1.0.3　膨胀源是钙矾石的补偿收缩混凝土不适用于长期处于环境温度大于80℃的钢筋混凝土工程。

【1.0.3解析】　因为钙矾石在80℃以上可能分解，所以从安全性考虑，规定膨胀源是钙矾石的补偿收缩混凝土使用环境温度不大于80℃。膨胀源是氢氧化钙的补偿收缩混凝土不受此规定的限制。

1.0.4　补偿收缩混凝土的应用应符合国家现行有关标准的规定。

【1.0.4解析】　补偿收缩混凝土源于普通混凝土，二者在制备工艺、施工工艺、工作性能与强度性能等诸方面基本相同，又确无必要一一列入本导则。因此，补偿收缩混凝土在应用过程中，除

参考本导则外，应符合国家现行有关标准的规定，如《地下工程防水技术规范》GB 50108、《混凝土结构工程施工质量验收规范》GB 50204 等。本导则的有关内容，将随着建筑技术及新材料开发的进步和工程实践经验的不断积累得到补充和完善。

2 术 语

2.0.1 混凝土膨胀剂

是指与水泥、水拌合后经水化反应生成钙矾石或氢氧化钙等，使混凝土产生体积膨胀的外加剂，简称膨胀剂。

【2.0.1解析】 本导则所指的膨胀剂，包括水化产物为钙矾石（$C_3A3CaSO_4 32H_2O$）的硫铝酸钙类膨胀剂、水化产物为钙矾石和氢氧化钙的硫铝酸钙-氧化钙类膨胀剂、水化产物为氢氧化钙的氧化钙类膨胀剂，不包括其他类别的膨胀剂。氧化镁膨胀剂虽然在大坝混凝土中已经成功使用，但由于技术原因，目前还没有在建筑工程中应用，进行的研究也比较少，所以不包括在本导则中。

2.0.2 限制膨胀率

混凝土的膨胀被钢筋等约束限制时导入钢筋的应变值，用钢筋的单位长度伸长值表示。

【2.0.2解析】 限制膨胀率是通过配筋率一定的约束器具测定的。膨胀剂的限制膨胀率是膨胀剂产品的质量指标，按《混凝土膨胀剂》JC 476 标准方法测定。补偿收缩混凝土的限制膨胀率是工程设计指标，按《混凝土外加剂应用技术规范》GB 50119 规定的方法测定。

2.0.3 自应力

混凝土的膨胀被钢筋等约束体约束时导入混凝土的压应力。

【2.0.3解析】 补偿收缩混凝土膨胀时，会对其约束体施加拉应力，根据作用力与反作用力原理，约束体会对其产生相应的压应力，由于此压应力是利用混凝土自身的化学能（膨胀能）张拉钢

筋或其他约束体产生的，有别于外部施加的机械预应力。所以称为自应力。对于钢筋混凝土而言，在一定范围内，配筋率与自应力值成正比关系；配筋率一定时，限制膨胀率高，自应力值就大。

2.0.4 补偿收缩混凝土

是指掺用膨胀剂的、自应力约为 0.2～1.0MPa 的混凝土。

【2.0.4解析】 按膨胀能大小可以将膨胀混凝土分为补偿收缩混凝土和自应力混凝土两类。其中补偿收缩混凝土的自应力较小，主要用于补偿混凝土收缩和填充灌注，当用于补偿因混凝土收缩产生的拉应力、提高混凝土的抗裂性能和改善变形性质时，其自应力一般为 0.2～0.7MPa；当用于后浇带、连续浇筑时预设的膨胀加强带以及接缝工程填充时，自应力为 0.5～1.0MPa，这时由于自应力很小，所以在结构设计中一般不考虑自应力的影响。自应力混凝土的自应力较大，在结构设计时必须考虑自应力的影响，自应力混凝土主要用于制造自应力压力输水管。

以前是使用膨胀水泥拌制膨胀混凝土，自从膨胀剂问世后，由于其成本低，使用灵活方便，现在基本上都使用膨胀剂拌制膨胀混凝土。鉴于两种工艺拌制的补偿收缩混凝土性质大致相同，因此使用膨胀水泥拌制补偿收缩混凝土时，本导则也具有一定参考性。

2.0.5 单位膨胀剂用量

每立方米混凝土使用的膨胀剂质量。

【2.0.5解析】 是指制造 $1m^3$ 膨胀混凝土时所使用的膨胀剂的质量。补偿收缩混凝土的限制膨胀率主要由单位膨胀剂用量决定。

2.0.6 单位胶凝材料用量

每立方米混凝土使用的水泥和膨胀剂的质量之和。用粉煤灰和高炉矿渣微粉等做掺合料时，其质量计入胶凝材料总量。

【2.0.6解析】 因为膨胀剂与水泥一样，对于强度的增进也有作用，所以单位胶凝材料用量应该为 $(C+E+F)$。此处 C 表示单位水泥用量，E 表示单位膨胀剂用量，F 表示除膨胀剂以外的掺合料（如粉煤灰、磨细矿渣粉等）的单位用量。

2.0.7　水胶比

混凝土中的水与胶凝材料的质量比。

【2.0.7解析】 约束方法和养护方法固定的条件下，补偿收缩混凝土的强度、耐久性、防水性等性质是由浆体中的水与水泥、膨胀剂、掺合料的和之比，即 $W/(C+E+F)$ 决定。其中的膨胀剂和掺合料都属于胶凝材料。在普通混凝土中，胶凝材料仅指水泥，所以使用水灰比——W/C 表达水和胶凝材料的关系，像《混凝土结构设计规范》GB 50010 等一些规范至今仍在使用水灰比，但是随着高性能混凝土发展，活性矿物掺合料以其性能优异、环保节材在混凝土中广泛使用，为了科学合理反映混凝土中水和胶凝材料的关系，现在的文献已经普遍用水胶比替代水灰比。

2.0.8　膨胀剂掺量

混凝土中膨胀剂占胶凝材料总量的百分含量。

【2.0.8解析】 膨胀剂掺量是指膨胀剂与水泥、膨胀剂和矿物掺合料等胶凝材料的百分比，即 $E/(C+E+F)$。

2.0.9　膨胀加强带

一种减免后浇带的技术措施。采用自应力为 0.5～1.0MPa 的补偿收缩混凝土浇筑的一定宽度的部位，其两侧相邻区间浇筑自应力为 0.2～0.7MPa 的补偿收缩混凝土。

【2.0.9解析】 膨胀加强带一般设在原设计留有后浇带的部位，收缩应力比较集中，需要采用自应力大的混凝土对两侧混凝土进行强化补偿。根据工程结构特点和施工要求，膨胀加强带分为连

续式、间歇式和后浇式三种构造形式。

2.0.10 无缝设计

采用补偿收缩混凝土的超长或大面积钢筋混凝土结构，用膨胀加强带取代后浇带实现连续浇筑混凝土的设计方法。

【2.0.10 解析】 由于补偿收缩混凝土能够补偿或部分补偿混凝土的收缩，所以在大面积施工过程中可以减免因防止收缩裂缝而留置的后浇带，实现混凝土连续浇筑。本条所述的无缝设计与取消建筑物伸缩缝的"无缝设计"不是同一个概念。

2.0.11 附加钢筋

在膨胀加强带及拉应力较为集中的部位增设的配筋。

【2.0.11 解析】 在拉应力较为集中的部位合理增加一部分配筋，一是能够提高该部位抵御收缩开裂的能力，二是能够改善混凝土的约束状态，提高混凝土的补偿收缩能力。

2.0.12 结构自防水

一种区别于柔性防水的刚性防水方式，采用补偿收缩混凝土的钢筋混凝土结构，兼有承重和防水功能。

【2.0.12 解析】 结构自防水是利用混凝土自身的抗渗、抗裂能力，将防水、承重和围护等功能统一起来的防水方式，具有施工简便，耐久性好的特点。一般采用外加剂对混凝土的防水和抗裂性能进行改善。

2.0.13 收缩应力

混凝土在限制条件下因体积收缩而产生的拉应力。

【2.0.13 解析】 在限制的情况下，混凝土发生收缩变形时，由于限制的作用，变形产生的能量不能完全释放，会在混凝土中产生相应的拉应力，相同收缩变形下，限制程度越高，拉应力也越大。收缩应力可以通过测量限制状态下的变形进行计算。

2.0.14 限制程度

混凝土中起限制作用的钢筋的配筋率。

【2.0.14解析】 限制程度反映了混凝土受约束的大小，可以通过在试件内设置不同直径的钢筋，并在试件端部设限制锚固点，对混凝土试件的变形进行限制。将限制程度粗略划分为小限制程度（钢筋直径10mm，配筋率为0.79%），中等限制程度（钢筋直径16mm，配筋率为2.05%）和大限制程度（钢筋直径28mm，配筋率为6.56%）。

2.0.15 干燥收缩开裂概率

混凝土收缩开裂的趋势，用混凝土中的收缩应力与其适时抗拉强度的百分比值表示。其值越大，表示该混凝土发生裂缝的概率越大。

【2.0.15解析】 取值范围为0~100%。当混凝土中存在压应力时，理论上混凝土不会开裂，取0；由于混凝土是一种非均质材料，测试值有波动性，收缩应力可能大于抗拉强度，此时取100%。混凝土收缩开裂过程受材料、环境、施工和设计诸多因素的影响，且许多影响因素一直处于变化之中，很难找到准确估算和预测其绝对收缩开裂应力公认的方法。干燥收缩开裂概率是一种相对开裂概率研究，也是一种新尝试，对选择低收缩开裂趋势的混凝土具有积极意义。

3 技术要求

3.0.1 补偿收缩混凝土除应符合现行国家标准《混凝土质量控制标准》GB 50164 的规定外，还必须满足设计所要求的强度等级、限制膨胀率、抗渗性和耐久性的技术指标，新拌混凝土必须具有适合浇筑作业的工作性。

【3.0.1解析】 掺入膨胀剂的补偿收缩混凝土仍属普通硅酸盐体系的混凝土，其使用也在普通混凝土的范围之内，故需满足普通混凝土的质量控制标准，但是掺入膨胀剂后，与普通混凝土相比，在多数情况下新拌补偿收缩混凝土的凝结时间略快、坍落度偏低、坍落度损失略大，在确定其工作性指标时，应予以注意。

3.0.2 补偿收缩混凝土的限制膨胀率指标应符合表 3.0.2 的规定。

表 3.0.2 补偿收缩混凝土的限制膨胀率指标

用 途	限制膨胀率（$\times 10^{-4}$）	限制收缩率（$\times 10^{-4}$）
	水中 14d	空气中 28d
用于补偿混凝土收缩	$\geqslant 1.5$	$\leqslant 3.0$
用于后浇带、膨胀加强带和工程接缝填充	$\geqslant 2.5$	$\leqslant 3.0$

【3.0.2解析】 限制膨胀率指标是依据现行国家标准《混凝土外加剂应用技术规程》GB 50119 的规定确定的。用单向限制膨胀率来表示补偿收缩混凝土的变形值，按照本导则第 3.0.3 和 3.0.4 条的方法计算。当限制膨胀率约为 $1.5 \times 10^{-4} \sim 4.5 \times 10^{-4}$，相应的自应力为 $0.2 \sim 0.7$MPa，需要指出的是，在特殊条件下使用大膨胀率混凝土时，应事前进行必要的试验研究。

3.0.3 补偿收缩混凝土限制收缩率的测定应按照现行国家标准《混凝土外加剂应用技术规范》GB 50119 的有关规定进行。

3.0.4 混凝土补偿收缩能力的评价方法，可按本导则附录 A 进行。

3.0.5 收缩补偿混凝土的强度应符合下列规定：

　　1 混凝土的强度以龄期 28d 的抗压强度为准；对大体积混凝土或地下工程，宜采用 60d 或 90d 强度标准。

　　2 补偿收缩混凝土设计强度不宜低于 C25；填充用膨胀混凝土设计强度不宜低于 C30。

　　3 补偿收缩混凝土的强度试件制作和检验应按照现行国家标准《普通混凝土力学性能试验方法标准》GB/T 50081 进行。用于填充的大膨胀混凝土的抗压强度试件制作和检测，可按照本导则附录 B 进行。

【**3.0.5 解析**】补偿收缩混凝土的膨胀与强度发展有着密切的关系，早期强度太高会抑制膨胀，从膨胀的角度来看，补偿收缩混凝土的强度不宜大于 C40。因此当设计强度大于 C40 时，应适当提高膨胀剂掺加量或采取降低早期强度的措施。

　　对膨胀较小的补偿收缩混凝土，按照现行国家标准《普通混凝土力学性能试验方法标准》GB/T 50081 检测。对用于填充的膨胀混凝土，有时因膨胀过大会出现无约束试件强度明显降低的情况，按照本导则附录 B 进行，使试件在试模中处于接近三向限制的状态，比较符合实际使用情况。

4 设 计 原 则

4.0.1 在使用补偿收缩混凝土的构筑物设计中，应在设计图纸中注明采用补偿收缩混凝土，并明确不同结构部位的最小限制膨胀率指标要求，不宜标注膨胀剂掺量，本章未涉及的事项应满足现行国家标准《混凝土结构设计规范》GB 50010 的规定。

【4.0.1解析】 是补偿收缩混凝土设计的一般规定。不同的结构部位受约束的程度不同，因此补偿收缩时需要的膨胀能也不一样，需要明示最小限制膨胀率。膨胀剂掺量不能准确反映混凝土的膨胀能，规定了限制膨胀率后，可以根据限制膨胀率经过配合比试验确定膨胀剂的准确掺量。由于导入混凝土的自应力值很小，在计算补偿收缩混凝土的设计轴向压缩极限应力和设计弯曲拉伸极限应力时，可不考虑膨胀的影响，因此结构设计按照《混凝土结构设计规范》GB 50010 执行。

4.0.2 补偿收缩混凝土的设计取值应符合下列规定：

1 补偿收缩混凝土的设计强度应符合现行国家标准《混凝土结构设计规范》GB 50010 的规定。后浇带、膨胀加强带使用的填充用膨胀混凝土的设计强度等级应比两侧混凝土提高一个强度等级。

【4.0.2(1)解析】 在胶凝材料用量和水胶比相同的条件下，补偿收缩混凝土的 28d 强度与普通混凝土相当；在限制充分的状态下，强度高于普通混凝土；无约束试件 60d 龄期强度一般比 28d 增长 15% 以上。从过去的研究结果和工程实践来看，我国的膨胀剂配制的补偿收缩混凝土，在中等强度等级（C25～C40）的水平上较适于体现膨胀的有益作用，因此需注重膨胀与强度的协调问题，不宜追求混凝土的过大的富余强度。但是高强度混凝土

是混凝土的发展方向，应该努力探究提高混凝土的补偿收缩能力的新措施。后浇带和膨胀加强带的部位一般应力比较大，故在强度设计时作适当提高。

2 限制膨胀率的设计取值应符合表 4.0.2 的规定。

表 4.0.2 限制膨胀率的设计取值

结构部位	最小限制膨胀率（$\times 10^{-4}$）	最大限制膨胀率（$\times 10^{-4}$）
平板结构	1.5	3.0
梁、墙体结构	2.0	4.0
后浇带、膨胀加强带等填充部位	2.5	5.0

【4.0.2(2)解析】 不同结构部位的约束程度和收缩应力不同，限制膨胀率的设计取值也不同；养护条件的差别会影响混凝土限制膨胀率的发挥，也是设计取值的考虑因素；因此，梁、墙结构的限制膨胀率取值高于平板结构。大的限制应该用大的膨胀来进行补偿，后浇带、膨胀加强带的取值高一些。

对于相同的结构部位，限制膨胀率的取值主要考虑约束程度和混凝土强度。一般约束较弱、混凝土强度较低的情况下，可取下限值，反之则取上限值。

4.0.3 结构设计应符合下列规定：

1 大体积、大面积及超长结构，可采取设置后浇带的措施。后浇带宽度不宜小于 800mm，可在两侧补偿收缩混凝土浇筑 28d 后浇筑后浇带。大体积混凝土应待两侧混凝土中心温度降至环境温度时再浇筑。必要时可将后浇带的钢筋截断，待浇筑后浇带混凝土前再将钢筋连接在一起，亦可采用钢筋搭接方式。

【4.0.3(1)解析】 后浇带的设计。补偿收缩混凝土基本能够补偿或部分补偿混凝土的收缩。因此与一般混凝土相比，用于释放变形和应力的后浇带可以提前浇筑，为降低温度应力的影响风险，

大体积混凝土应该在温度降至环境温度下再浇筑后浇带。截断后浇带钢筋也是为了有效释放钢筋中的应力。工程实例证明，对于超长的厚板和墙体这种方法效果很好。后浇带详细构造见《地下工程防水技术规范》GB 50108-2001 的第5.2节的要求。

采用普通混凝土施工时，关于后浇带混凝土的浇筑时间，不同的规范要求不同。《地下工程防水技术规范》GB 50108-2001 要求在两侧混凝土浇筑42d后再施工，高层建筑的后浇带应该在结构顶板浇筑混凝土14d后进行；《混凝土结构设计规范》GB 50010-2002 在条文说明中认为后浇带混凝土在两个月后施工比较合适。采用了补偿收缩混凝土，由于可以补偿混凝土的干燥收缩，根据大量的工程实例，28d可以浇筑后浇带混凝土。

2 膨胀加强带可部分或全部取代后浇带，膨胀加强带一般设在后浇带的位置上。根据构件厚度，膨胀加强带宽可为2～3m，应在其两侧用密孔钢丝网将带内混凝土与带外混凝土分开。膨胀加强带可分为连续式、间歇式与后浇式三种形式。

【4.0.3(2)解析】 膨胀加强带是一种旨在提高混凝土结构抗裂性能的技术措施。施工中采用膨胀加强带的目的是代替后浇带，进一步简化施工工艺，所以一般设置在后浇带的位置。为了有效发挥膨胀效果，增加长度方向的膨胀绝对量，所以其宽度应该比后浇带更宽一些。膨胀加强带是一种"抗"的措施，所以在连续施工的混凝土结构中，为提高其抵御收缩应力的能力，增设一些附加钢筋。膨胀加强带的构造与后浇带基本相同，但是在较厚的板中，一般不用设止水带。图1～4是工程实践过程中应用效果比较好的部分节点构造示例，工程技术人员应该根据工程特点选择更合理的构造形式。其中图1～3是厚底板结构中三种膨胀加强带构造示意图。图1是连续浇筑混凝土时的膨胀加强带构造示意图；图2是与先浇筑混凝土相接时采用的膨胀加强带构造示意图；图3是一种类似于后浇带的后浇筑方式，除大体积混凝土考虑温度收缩应力外，一般可以在浇筑完两侧膨胀混凝土的任何时

候回填浇筑。图 4 是用于墙体的膨胀加强带构造图。

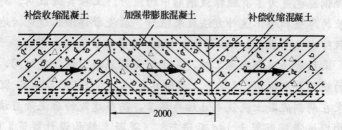

图 1　连续式膨胀加强带示意图

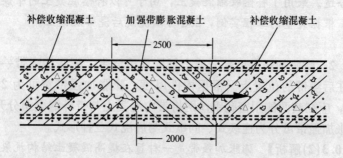

图 2　间歇式膨胀加强带示意图

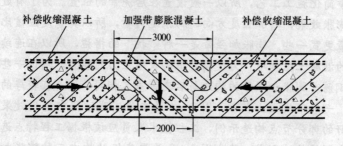

图 3　后浇式膨胀加强带示意图

3　当高层建筑与裙房间沉降差过大时，应设置沉降后浇带，带宽不宜小于 800 mm。当相邻两侧的结构满足设计允许的沉降差值后，方可浇筑补偿收缩混凝土。

14

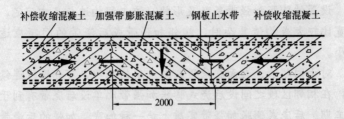

补偿收缩混凝土　加强带膨胀混凝土　钢板止水带　补偿收缩混凝土

2000

图4　墙体后浇式膨胀加强带示意图

【4.0.3(3)解析】 为了防止沉降量不同的构筑物之间在垂直方向产生剪切应力，形成破坏混凝土结构的有害裂缝，需要在它们之间设置沉降缝，用以消除沉降差在混凝土结构中产生的剪切应力。沉降缝应在构筑物沉降稳定之后进行回灌混凝土，为了减少沉降缝混凝土的收缩，使回灌的混凝土与沉降缝两侧混凝土紧密粘接，应填充膨胀较大的混凝土。

　　4　补偿收缩混凝土的浇筑结构长度可按表4.0.3-1确定。

表4.0.3-1　补偿收缩混凝土连续浇筑结构长度

结构类别	结构长度 L (m)	结构厚度 H (m)	浇筑方式选择	构　造　形　式
墙体	$L \leqslant 60$	—	连续浇筑	
	$L > 60$	—	断续浇筑	后浇式膨胀加强带或后浇带
板式结构	$L \leqslant 60$	—	连续浇筑	
	$60 < L \leqslant 120$	$H \leqslant 1.5$	连续浇筑	连续式膨胀加强带
	$60 < L \leqslant 120$	$H > 1.5$	断续浇筑	后浇式、间歇式膨胀加强带或后浇带
	$L > 120$	—	断续浇筑	后浇式、间歇式膨胀加强带或后浇带

【4.0.3(4)解析】 对于钢筋混凝土结构的裂缝控制有"抗"与"放"两种措施。设膨胀加强带方式属于"抗"，后浇带或后浇式膨胀加强带方式属于"放"，同时使用补偿收缩混凝土、后浇带、膨胀加强带体现了"抗"与"放"的结合。对于地下结构及较薄的构件，以"抗"为主较为有利；对于地上结构及厚大构件，结合采用"放"的措施较为妥当。

15

设置的膨胀加强带条数及形状应依工程构造与尺寸确定，当长宽比较大或构造复杂时，相邻加强带或后浇带的间距应适当减小。

对于因超长、大面积采用断续浇筑的工程，可分区段连续浇筑，在相邻区段之间设后浇式膨胀加强带比单设后浇带有利于缩短工期。后浇式膨胀加强带实质上是一种加宽、加强的后浇带。

在确定伸缩缝间距及连续浇筑的结构最大长度时，对板式结构可适当放宽，对墙体结构应从严控制。

《混凝土结构设计规范》GB 50010-2002 第 9 章指出，在采用后浇带分段施工或施加应力或采取能减小混凝土收缩的措施时，可以延长伸缩缝间距。补偿收缩混凝土膨胀产生的自应力能够抵消混凝土结构因为收缩产生的拉应力，因此可以减免为释放收缩应力而设置的后浇带，延长浇筑区段，故本条规定与《混凝土结构设计规范》GB 50010-2002 的第 9 章规定是统一的。

5 配筋应符合下列规定：

1）抵抗温度收缩的钢筋可利用结构原有的钢筋贯通布置，也可另外设置构造钢筋网，并与原有钢筋按受拉钢筋的要求搭接。

2）全截面最小配筋率应符合现行国家标准《混凝土结构设计规范》GB 50010 的有关规定。布筋方式和钢筋间距宜符合表 4.0.3-2 的要求。

表 4.0.3-2 布筋方式和钢筋间距

结构部位	布筋方式	钢筋间距（mm）
底板	双层、双向	150～200
楼板、顶板	双层、双向	100～200
墙体水平筋	双排	100～150

3）附加钢筋的配置应符合下列规定：

①在墙体高度的水平中线部上下 500mm 范围内，水平筋的间距不宜大于 100mm。

②梁两侧腰筋的间距不宜大于 200mm。

③对大型结构，宜在垂直于膨胀加强带方向增设附加钢筋，其附加筋直径不宜大于 $\phi10$mm，长度为带宽加 1m。

④在墙—柱、墙—墙相交部位，应考虑与之相交柱、墙对墙体本身水平配筋的影响。相邻部位宜增设直径为 $\phi8\sim\phi10$mm 的水平钢筋，长度宜为 1500mm，插入柱及相邻墙内部分不宜小于 150mm，其余部分插入墙内，增加量宜为原同向钢筋配筋率的 $10\%\sim15\%$。

⑤当房屋平面形体有较大凹凸时，在房屋和凹角处的楼板、房屋两端阳角处及山墙处的楼板、与周围梁柱墙等构件整体浇筑且受约束较强的楼板，应增设温度钢筋。

⑥在结构开口的出入口位置、结构截面变化处、构造复杂的突出部位、楼板预留孔洞、标高不同的相邻构件连接处等，宜提高钢筋配置水平。

【4.0.3(5)解析】 补偿收缩混凝土主要用于避免或减少混凝土的干燥收缩和温度收缩裂缝，并不负担提高承载的任务，所以最小配筋率按现行设计规范取值。改善配筋方式，分散配筋可以充分发挥混凝土的膨胀性能，提高混凝土的抗裂能力，在一些薄弱部位增设附加钢筋，能够发挥混凝土的补偿收缩效果，抵御有害裂缝的产生。

对膨胀混凝土而言，均衡配筋可以保证在需要补偿收缩的部位产生均匀有效的膨胀，因此强调在全截面双层配筋。

6 当采用补偿收缩混凝土的地下结构或水工结构做结构自防水时，迎水面可不做柔性防水。必要时，也可在迎水面做聚合物水泥涂膜等外防水。

【4.0.3(6)解析】 补偿收缩混凝土是集结构承重—防水于一体的抗裂防水材料，国外称其为不透水混凝土。根据《UEA 补偿收缩混凝土防水工法》YJGF22-92 以及众多地下室和水池的工程实践提供的范例和经验，补偿收缩混凝土抗裂防水效果好，性价比最优。

5 原材料选择

5.0.1 水泥应符合现行国家标准《硅酸盐水泥、普通硅酸盐水泥》GB 175、《矿渣硅酸盐水泥、火山灰质硅酸盐水泥及粉煤灰硅酸盐水泥》GB 1344、《复合硅酸盐水泥》GB 12958 或《中热硅酸盐水泥、低热矿渣硅酸盐水泥》GB 200 规定的任意一种。

【5.0.1解析】 原则上膨胀剂可以掺入所有硅酸盐类水泥中使用，但是水泥的矿物成分比例和细度等对补偿收缩混凝土的膨胀率和膨胀速度有一定影响，也会影响混凝土的工作性。研究表明，水泥中的含铝相、含硫相会对膨胀性能产生影响，水泥的强度发展规律也会影响膨胀，一般粉磨过细、早期强度过高的水泥膨胀较小，使用时应该予以注意。

5.0.2 膨胀剂的品种和性能必须符合国家现行标准《混凝土膨胀剂》JC476 的规定。膨胀剂应存放在具有防潮结构的专用场所中，不得与水泥等其他材料混放。膨胀剂在贮放过程中发生结块、胀袋现象时，应进行品质复验后再用。

【5.0.2解析】 选用膨胀剂必须将限制膨胀率作为决定性指标，不同厂家、不同类别的产品存在质量差异。JC 476 规定，膨胀剂出厂检验时允许的最高掺量为 12%，一般取 8%～10%。因此，复核检验时应采用生产厂出厂检验的掺量进行试验。

5.0.3 外加剂和掺合料的选择应符合下列规定：

1 减水剂、缓凝剂、泵送剂、防冻剂等混凝土外加剂必须分别符合国家现行标准《混凝土外加剂》GB 8076、《混凝土泵送剂》JC 473、《混凝土防冻剂》JC475 的规定。

2 粉煤灰必须符合现行国家标准《用于水泥和混凝土中的

粉煤灰》GB 1596 的规定；使用的矿渣粉必须符合现行国家标准《用于水泥和混凝土中的粒化高炉矿渣粉》GB/T 18046 的规定。

【5.0.3解析】 化学外加剂对于补偿收缩混凝土的新拌状态和硬化后性质的影响与普通混凝土的情况大致一样，不宜选用收缩率比偏大的化学外加剂。早强剂、防冻剂会使膨胀性质产生差别，使用时应该予以注意。

使用粉煤灰和矿渣粉可以改善混凝土工作性、降低水化热等，但用量增大时，对膨胀率的不利影响也增加。

对硅灰、沸石粉、石灰石粉、高岭土粉等掺合料，对发泡剂、速凝剂、水下不离散混凝土外加剂等外加剂，与膨胀剂共同使用时应在使用前进行试验、论证。

5.0.4 集料应符合国家现行标准《普通混凝土用砂、石质量标准及检验方法》JGJ 52 的规定。轻集料混凝土应符合现行国家标准《轻集料及其试验方法第 1 部分：轻集料》GB/T 17431.1 的规定。

【5.0.4解析】 补偿收缩混凝土使用的集料与一般混凝土相同。对于要求使用非碱活性集料的工程，应在使用前检验、测定集料的碱活性，或采取控制混凝土最大碱含量的措施。轻集料也同样能够配制补偿收缩混凝土。

5.0.5 拌合水应符合国家现行标准《混凝土用水标准》JGJ 63 的规定。

【5.0.5解析】 补偿收缩混凝土与一般混凝土具有相同的用水标准。

6 配 合 比

6.0.1 补偿收缩混凝土的配合比必须满足设计所需要的强度、膨胀性能、抗渗性、耐久性等技术指标和施工工作性要求。配合比设计应按国家现行标准《普通混凝土配合比设计规程》JGJ 55进行，但应充分考虑利于发挥膨胀剂的作用。使用的膨胀剂品种应根据工程要求和施工要求事先进行选择。

【6.0.1解析】 补偿收缩混凝土和普通混凝土的标志性区别在于它可以通过自身产生的膨胀而具有抗裂防渗功能。因此，在配合比设计与试配时，应在选材和确定材料用量方面，尽可能做到利于膨胀的发挥，以保证限制膨胀率设计值，并进行限制膨胀率测定、验证。

由于膨胀源是钙矾石的补偿收缩混凝土不适用于长期处于环境温度大于80℃的钢筋混凝土工程，须事先对膨胀剂品种进行选择。另外，我国膨胀剂生产厂家多，产品品种也多，普遍存在膨胀剂与水泥、化学外加剂的适应性问题，因此有必要事先选择、确定膨胀剂的种类。

6.0.2 单位膨胀剂用量应根据设计要求的限制膨胀率，采用实际工程使用的材料，经配合比试验确定。试验时，单位膨胀剂用量可按照表 6.0.2 取值。

表 6.0.2 单位膨胀剂用量试验取值范围

用 途	单位混凝土中的膨胀剂含量（kg/m³）
用于补偿混凝土收缩	30～50
用于后浇带、膨胀加强带和工程接缝填充	40～60

【6.0.2解析】 补偿收缩混凝土的限制膨胀率大小，不像强度那

样取决于水胶比大小，而与单位膨胀剂用量大致成正比关系。以往，单纯使用百分比掺量确定膨胀剂用量，在混凝土强度等级较低或水泥用量较少时，直接采用生产厂家推荐的掺量时，会出现膨胀剂实际用量不足，而导致膨胀率偏低，达不到补偿收缩的目的。科学的方法是根据设计要求的限制膨胀率，采用工程实际原材料，通过配合比试验求取。表6.0.2是为方便试验而推荐的掺量范围，研究表明，大部分补偿收缩混凝土膨胀剂掺量在此范围之内。实际应用中，由于膨胀剂品质的差异，可能出现超出表中的推荐值的情况，这时应以试验结果为准。

一般而言，混凝土膨胀率越大，补偿收缩和导入自应力的效果越好，然而膨胀率过大，会使自由状态的混凝土试件抗压强度比不掺膨胀剂时有所降低。所以，应在保证达到最低强度要求的前提下确定较高的膨胀率。

在进行试验时要注意，在含气量和坍落度一定的条件下，水胶比、单位水泥用量即使发生变化，混凝土的限制膨胀率仍由单位膨胀剂用量决定，大致为固定的对应关系。

6.0.3 水胶比应符合下列规定：

1 补偿收缩混凝土的水胶比不宜大于0.50。

2 当以混凝土的抗压强度为主要因素确定水胶比时，抗压强度与水胶比的关系应通过试验确定，试验所用的混凝土应掺入膨胀剂。试验龄期以28d为标准。

3 当以混凝土的抗冻性为耐久性指标确定水胶比时，水胶比应符合现行国家标准《混凝土结构设计规范》GB 50010中有关规定。

4 当以混凝土耐化学侵蚀作用为耐久性指标确定水胶比时，水胶比应符合下列规定：

1）混凝土与含硫酸盐 SO_4^{2-} 大于0.2%的土或水接触的情况下，水胶比应小于0.50。

2）使用融雪剂的混凝土，水胶比应小于0.45。

3）用于海洋构筑物的钢筋混凝土，在海水中的混凝土水胶比应小于 0.50，处于潮差区和海洋大气中的混凝土应小于 0.45。

【6.0.3 解析】 膨胀剂用量和约束方式一定的补偿收缩混凝土抗压强度与水胶比在某个范围内是直线关系，和普通混凝土的抗压强度与水胶比的关系大致相同。对于地下基础部位的混凝土，从节约材料和降低施工难度出发，利用混凝土的 60d 或 90d 强度时，可以 60d 或 90d 龄期的强度为标准。

补偿收缩混凝土的防水性、抗冻性、抗化学作用性和抗海水性等耐久性一般相当于或优于普通混凝土，因此与普通混凝土水胶比的规定相同。

在现行的国家标准《混凝土结构设计规范》GB 50010 中，混凝土的耐久性主要是根据水灰比（或水胶比）进行设计，当以抗冻性为耐久性指标确定水胶比时，规范中规定的三类环境最大水灰比是 0.50，与本导则的规定一致，故本导则采用其规定。当以耐化学侵蚀作用和规范中规定的四、五类环境为耐久性指标确定水胶比时，规范没有给出相应的设计取值，使用融雪剂的环境，规范将其归为三类环境，对海水环境，规范将其归为四类环境，没有考虑海水中、潮差区和海洋大气之间的差别，本导则的这部分规定源自日本《膨胀混凝土设计和施工指针》，对使用融雪剂的环境，水胶比规定略严于现行的国家标准《混凝土结构设计规范》GB 50010。

6.0.4 单位胶凝材料用量应符合现行国家标准《混凝土外加剂应用技术规范》GB 50119 的规定，且补偿收缩混凝土单位胶凝材料最小用量宜为 300kg/m³，填充用膨胀混凝土单位胶凝材料最小用量宜为 350kg/m³。

【6.0.4 解析】 单位胶凝材料用量根据单位用水量和水胶比确定。一般来说，C25～C40 补偿收缩混凝土的单位胶凝材料总用量为 300～450kg/m³ 时，可获得结构致密及最佳的补偿收缩效果。研究表明，胶凝材料中掺合料过多会降低膨胀性能，因此在

配合比试验设计过程中，需要根据选用水泥的品种、膨胀剂品种及强度等级等状况，适当调节胶凝材料中各组分的比例。比如在掺合料用量大的情况下，可以调高膨胀剂的掺量，确保设计要求的限制膨胀率。

6.0.5 每立方米混凝土中胶凝材料所含有的氯离子量，应符合现行国家标准《混凝土质量控制标准》GB 50164 的要求，且预应力混凝土中氯离子含量不得大于 0.06%。

6.0.6 混凝土中的碱含量不得大于现行国家标准《混凝土结构设计规范》GB 50010 的规定值；当使用非碱活性集料时，对混凝土中的碱含量不作限制，碱含量应按下式计算：

$$碱含量 = Na_2O + 0.658K_2O \qquad (6.0.6)$$

【6.0.5 和 6.0.6 解析】 工程设计中，出于混凝土耐久性考虑，有时提出对混凝土中氯离子或碱的含量要求。

7 制造和运输

7.0.1 补偿收缩混凝土宜在预拌混凝土厂生产，并宜符合现行国家标准《混凝土质量控制标准》GB 50164 的有关规定。

【7.0.1解析】 补偿收缩混凝土是具有膨胀性能的高品质混凝土，为了确保其品质，需要选择技术水平高的预拌混凝土工厂。选择工厂时，必须考虑到达现场的运输时间、卸车时间、混凝土的生产能力、运输车数、工厂的生产设备以及质量管理状态等。

7.0.2 补偿收缩混凝土的各种原材料必须采用专用计量器进行准确计量。膨胀剂与其他化学外加剂的计量装置应定期校验，使用前应进行零点校核，保持计量准确。

原材料每盘称量的允许偏差应符合表 7.0.2 的规定。

表 7.0.2 原材料每盘称量的允许偏差

材 料 名 称	允许偏差（%）
水泥、膨胀剂、掺合料	±2
粗、细集料	±3
水、外加剂	±2

【7.0.2解析】 膨胀剂与其外加剂必须用专用计量器，使用前确认其具有所规定的计量精度；应防止膨胀剂在上次计量后残留在计量器具上，下一次使用时应检查、清扫；当遇雨天或集料含水率有显著变化时，应及时调整水和集料的用量。

7.0.3 补偿收缩混凝土的搅拌应符合下列规定：

1 补偿收缩混凝土必须充分搅拌均匀。对预拌补偿收缩混凝土，其搅拌时间与普通混凝土相同，现场拌制的补偿收缩混凝土的搅拌时间应比普通混凝土延长 30s 以上。

2 膨胀剂投入搅拌机的顺序应预先规定，投入时应避免膨胀剂在中途的附着、固结，在搅拌机内的混凝土未全部排出时，不得投入新料。

【7.0.3解析】 一般而言，膨胀剂与水泥同时投入为好。为得到均匀的混凝土，应规定恰当的投料顺序与投料方式。采用间歇式搅拌机时，由于最初的一盘砂浆会附着在搅拌机内，所以最好先预拌适量的砂浆，然后卸出，再投入规定的材料进行搅拌。

7.0.4 搅拌完毕的补偿收缩混凝土应尽快运至浇筑地点。在运输过程中，应控制混凝土不离析、不分层、组成成分不发生变化，并能保证施工所必需的稠度。当天气炎热或运输距离较远以及其他原因导致混凝土坍落度损失较大时，严禁向混凝土中加水，可采用高效减水剂部分后掺法，以满足泵送施工要求。

【7.0.4解析】 混凝土尽量以近似搅拌结束时的状态进行运输、浇筑至关重要。运输必须快捷，应控制从搅拌开始到运至现场的时间。根据现行国家标准《混凝土质量控制标准》GB 50164 的规定，在外界气温低于 25℃ 时，采用搅拌车运输，小于 C30 的混凝土不宜大于 120min，大于 C30 的混凝土不宜大于 90min；超过 25℃ 时，小于 C30 的混凝土不宜大于 90min，大于 C30 的混凝土不宜大于 60min。完成浇筑操作的时间约 30min。为避免出现混凝土坍落度小于浇筑要求的情况，使用缓凝剂、保塑剂是有效的。采取后掺减水剂的方法可以恢复坍落度，对强度和膨胀效果几乎没有影响。

8 浇筑和养护

8.0.1 补偿收缩混凝土浇筑和养护应符合现行国家标准《混凝土质量控制标准》GB 50164 的有关规定。

【8.0.1解析】 补偿收缩混凝土的浇筑应该遵循普通混凝土的浇筑质量标准。

8.0.2 补偿收缩混凝土的浇筑应符合下列规定：

1 浇筑前应制定浇筑计划，检查膨胀加强带和后浇带，其设置应符合设计要求，钢筋绑扎应牢固、浇筑部位应清理干净。

2 应采用尽量减少混凝土材料分散离析的方法浇筑，振捣应密实。

3 当施工中遇到雨雪冰雹需留施工缝时，对新浇混凝土部分应立即用塑料薄膜覆盖；当混凝土已硬化时，应在其上铺上20～30mm 厚的同强度等级膨胀水泥砂浆，再接着浇筑混凝土。

4 超长的板式结构采用膨胀加强带代替后浇带时，应该根据所选膨胀加强带的构造形式，按规定顺序浇筑。后浇带和间歇式膨胀加强带浇筑前，应将先期浇筑的混凝土表面清理干净，充分湿润。

5 板式结构混凝土，应在终凝前采用机械或人工的方式，对混凝土表面进行多次抹压。

【8.0.2解析】 补偿收缩混凝土是具有膨胀效果的优质混凝土，其浇筑过程和注意事项也应该采取与普通混凝土相同的作业标准。

出于保证混凝土质量和洁净施工面的目的，施工遇到雨雪时，应该对新浇筑的混凝土进行覆盖保护。许多工程实例证明，万一出现施工"冷缝"，采用膨胀砂浆接缝的措施比较可靠。

终凝前对混凝土表面进行多次抹压是为了消除塑性裂缝。

8.0.3 补偿收缩混凝土的养护应符合下列规定：

1 混凝土浇筑后必须进行充分养护；在硬化中必须加以保护。

【8.0.3(1)解析】 补偿收缩混凝土的养护可以与普通混凝土相同，但是在早期尤其需要保持潮湿状态，以避免受到低温、干燥以及急剧的温度变化影响。新浇筑的混凝土既没有足够的强度，也没有建立起有效的膨胀，不能够抵御突然降温或振动、冲击等产生的破坏应力，为防止出现裂缝，要采取一定的保护措施。

2 补偿收缩混凝土浇筑完成后，其暴露面在浇筑后至少14d内必须一直保持潮湿状态。对板式构件，常温施工时，可采取定时洒水、铺湿麻袋等方式。底板宜采取直接蓄水养护方式；墙体浇筑完成后，可在顶端设多孔淋水管。达到脱模强度后，可松动对拉螺栓，使墙体外侧与模板之间有 2~3mm 的缝隙，确保上部淋水进入模板与墙壁间。

3 在冬期施工时，构件拆模时间应延至 7d 以上，表层不得直接洒水，可采用塑料薄膜保水，薄膜上部再覆盖岩棉被等保温材料。

【8.0.3(2~3)解析】 混凝土从浇筑后到硬化开始，如果因日光直射、风等引起裂缝发生，则该部分会成为弱点。因此，在这个时期内需要充分保护混凝土表面，防止日光直射、风吹等引起的水分散失。对于补偿收缩混凝土，早期充分的潮湿养护不仅对强度增长重要，更重要的是确保获得需要的膨胀率，因此在早期潮湿养护至关重要。模板薄或气温高、模板干燥的时候，必须在其上面洒水。

北方冬期施工的混凝土，直接浇水可能会导致混凝土遭受冻害，因此需要进行保温养护。虽然这样做会导致膨胀效果的降低，但是由于冬期施工的混凝土冷缩小，与高温季节相比，需要的膨胀也较小。

4 已浇筑完混凝土的地下室，应在越冬前回填土，确保边墙保温保湿。

【8.0.3(4)解析】 使用补偿收缩混凝土的工程，在完工后应该尽早回填，使混凝土处于潮湿状态，对膨胀能的充分发挥十分有利。为防止温度应力造成工程裂缝，应该在降温之前对地下工程进行回填保温。

5 当采用保温养护、加热养护、蒸汽养护或其他快速养护等特殊养护时，应通过试验确定。

【8.0.3(5)解析】 在施工现场，对补偿收缩混凝土进行保温养护、加热养护、蒸汽养护等特殊养护时，必须预先充分地研究，以确认这些措施能获得所要求的品质。

9 施工缝、防水节点和施工缺陷的处理措施

9.0.1 墙体不连续浇筑时预留的水平施工缝和竖向施工缝应进行善后处理。可沿缝预留或开凿深 10mm、宽 100mm 的凹形槽；穿墙管道根部、连接模板的对拉螺栓等节点，可开凿凹槽；然后用膨胀水泥砂浆填实并养护。在修补部位涂刷有机或无机防水涂料。

【9.0.1解析】 施工缝、穿墙螺栓孔和穿墙管道等节点部位是容易产生渗漏的部位，而且是漏浆、砂眼、结瘤挂浆等缺陷易发部位，对这些部位进行处理，可以消除渗漏隐患并改善构件的外观。选用水泥基无机材料可以实现防渗与结构本体材料等寿命。膨胀砂浆可以按去掉石子后的填充用膨胀混凝土配合比拌制，也可以拌制 1∶2 砂浆，水泥中的膨胀剂掺量取生产厂的高限推荐值。

9.0.2 对蜂窝、孔洞，应剔除松动部分，并采用膨胀水泥砂浆填实；当孔洞尺寸较大时，应使用膨胀率较大的混凝土。

【9.0.2解析】 膨胀砂浆或膨胀混凝土由于其膨胀作用，可以使新老混凝土结合部位牢固粘结。

9.0.3 当混凝土结构产生贯通性开裂时，可采用压力灌浆法修补。非贯通性裂缝或局部修补的裂缝，可开凿凹形槽，采用刚性防水材料或膨胀水泥砂浆修补，再涂刷防水涂料。

【9.0.3解析】 对于贯穿性裂缝，采取灌浆的方法可以将裂缝全面封闭；对于非贯穿性裂缝或局部裂缝，采用膨胀水泥砂浆修补能够节约修补成本。对同一结构的裂缝处理，也可以根据实际需要结合使用两种措施。

附录A 补偿收缩混凝土的收缩 应力测试及评价方法

A.0.1 本方法适用于测量补偿收缩混凝土在规定的温度和湿度条件下，不受外力作用，其内部产生的应力变化，包括膨胀产生的压应力和收缩产生的拉应力。

【A.0.1解析】 一般认为，在限制情况下，混凝土中产生的拉应力如果大于混凝土的抗拉强度，混凝土就会开裂。本方法通过测量不同的混凝土在特定的环境或同一种混凝土在不同的环境下内部应力的变化情况，为选择和确定收缩应力相对较小的混凝土配合比设计或环境条件提供参考。

A.0.2 试验仪器及试件尺寸应符合下列规定：

1 混凝土膨胀收缩测量仪：分辨率为0.001mm(图A.0.2-1)；

图 A.0.2-1 测量仪结构

2 混凝土限制膨胀收缩装置（图A.0.2-2）；

3 标准试件尺寸：100mm×100mm×540mm，其中混凝土部分100mm×100mm×485mm。根据约束程度，选择限制钢筋的直径，小限制程度宜为φ10mm，中等限制程度宜为φ16mm，大限制程度宜为φ28mm。

【A.0.2解析】 符合尺寸的试件可使用试验室的现有测量仪器进

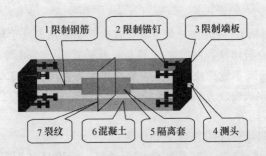

图 A.0.2-2　混凝土限制膨胀收缩装置

行测量，也便于同标准规定的自由收缩试验进行比较。根据工程实际的限制程度选择限制钢筋直径，更接近实际情况。一般可以同时进行三种限制程度的试验，综合评估混凝土的干燥收缩开裂风险。

A.0.3　试件的制作应符合下列规定：

　1　本测试方法规定的试验用试件，应以三块为一组。

　2　试件的制作应按现行国家标准《普通混凝土力学性能试验方法标准》GB/T 50081 有关章节规定进行。但在浇筑混凝土过程中，必须人工插捣，且不得触及限制钢筋。

　3　试件制作的标准温度应为（20±5）℃；当在非标准温度条件下制作时，应记录制作温度。脱模强度达到（10±2）MPa后，再编号拆模。

【**A.0.3解析**】　本方法规定的试件初始长度是未装混凝土之前混凝土限制膨胀收缩装置的长度，如采用振动成型，或直接触及限制钢筋等不当操作，会影响测试准确性。

A.0.4　试件的养护应符合下列规定：

　1　试件应在温度为（20±2）℃水中养护 7d，再转入温度为（20±2）℃、相对湿度为 60%±5% 空气中养护 21d。

　2　当在非标准温度条件下制作和养护时，应记录制作和养护的温度。

【A.0.4解析】　规定统一的养护制度和养护龄期，便于对试验结果进行系统分析比较，同时也能够与抗拉强度进行 28d 龄期的比较。由于干燥 21d 不能反映混凝土的后期收缩应力，因此可以根据需要进行长龄期收缩应力测试，比较不同配合比混凝土收缩应力的大小。

A.0.5　测量程序应符合下列规定：

　　1　测量前 3h，将膨胀收缩测量仪、标准杆和混凝土限制膨胀收缩装置放入测量室内，用标准杆校正测量仪，标准杆设有编号的一面朝上，其方向及位置在每次测定时均固定不变；同时将测量仪测头擦净；

　　2　对设定待用的混凝土限制膨胀收缩装置进行初始长度的测量。方法是将混凝土限制膨胀收缩装置设有标记的一面朝上进行初始长度测量，其方向及位置以后也固定不变；限制膨胀收缩装置两端的球形测头与测量仪的上下两个平面测头紧密接触，形成点面接触，使限制膨胀收缩装置中轴线与仪器上下测头精确对中，记录初始长度；

　　3　将已经完成初始长度测量的混凝土限制膨胀收缩装置放入试模内，制作试件；

　　4　在规定的试验环境下，按要求的龄期进行测量，采集并记录测量值；测量方法同 A.0.5 的 2 款；

　　5　对不同龄期的试件在规定时间内测量，龄期从浇筑成型日起算。

【A.0.5解析】　规定测试方法及龄期计算、测定时间，目的是为了保证测量精确度与结果的可比性。

A.0.6　试件按组测试，每组三条，膨胀或收缩应力应按下列公式计算：

$$\sigma = \varepsilon \times E \times \frac{\pi D^2}{4 \times \left(A - \frac{\pi D^2}{4}\right)} \qquad (A.0.6\text{-}1)$$

$$\varepsilon = \frac{L_2 - L_1}{L_0} \qquad (A.0.6-2)$$

式中 σ——膨胀或收缩应力，MPa（取算术平均值，精确至小数点后第三位）；

E——限制钢筋的弹性模量，MPa；

D——限制钢筋的直径，mm；

A——试件的截面面积，mm^2；

ε——规定测试龄期时"混凝土限制膨胀收缩装置"的变形量；

L_2——试件在试验龄期测得的长度读数，mm；

L_1——混凝土限制收缩装置的初始长度读数，mm；

L_0——试件混凝土部分的基准长度，mm。

A.0.7 抗裂性评价应符合下列规定：

1 混凝土干燥收缩开裂概率（C）可按下式计算：

$$C = \frac{-\sigma}{f_{tk}} \times 100\% \qquad (A.0.7)$$

式中 C——混凝土干燥收缩开裂概率，$C \in [0, 100]$，%；

σ——混凝土中的内应力，膨胀受压时为正值，收缩受拉时为负值，MPa；

f_{tk}——混凝土适时轴心抗拉强度，MPa。

2 按 C 值大小，可将补偿收缩混凝土在弹性限制情况下的干燥收缩开裂概率划分为以下三种情况：

——高开裂风险：$C \geq 60\%$；

——中等开裂风险：$40\% \leq C < 60\%$；

——低开裂风险：$C < 40\%$。

【A.0.7解析】 混凝土是一种性能随时间和环境条件变化而变化的材料，不可能对其干燥收缩开裂行为进行准确计算。但是可以将混凝土的干燥收缩开裂行为视作类似于降雨的小范围概率事件，用干燥收缩开裂概率来预测其发展趋势。干燥收缩开裂概率

C是根据第一强度理论推导出来的，第一强度理论认为当混凝土中的拉应力 $\sigma \geqslant f_{tk}$ 时，混凝土在垂直于拉应力方向开裂；$\sigma < f_{tk}$ 时，混凝土不开裂。混凝土在短期集中拉力荷载作用下，σ-ε 曲线基本是直线，其内部的拉应力在构件断裂前达到最大值——即抗拉强度 f_{tk}。但实际上在干燥收缩应力作用下，由于徐变的影响，混凝土内部的拉应力远未达到其抗拉强度时，就会因为其变形大于极限延伸率而产生裂缝。

每种混凝土的抗拉强度都有一定的规律性变化，简单地对收缩应力进行比较难以客观评价混凝土的收缩开裂水平，较高的抗拉强度能够抵御更大的收缩应力。抗拉强度值 f_{tk} 可以根据抗压强度的试验结果按现行国家标准《混凝土结构设计规范》GB 50010进行换算，也可以通过与限制膨胀试件的同条件试验获得。

附录B 限制状态下补偿收缩混凝土
抗压强度检验方法

B.0.1 本方法适用于在近于三向模板限制状态下养护的补偿收缩混凝土和填充用膨胀混凝土的抗压强度的检验。

【**B.0.1解析**】 大膨胀混凝土在无约束情况下，抗压强度会显著降低；在充分限制情况下，其强度比无约束状态高，也高于相同配合比的普通混凝土。制定本检验方法，目的在于使试验结果更趋近于工程实际情况，以作为混凝土设计强度等级与采用60d或90d强度的参考。

B.0.2 试件尺寸及制作应符合现行国家标准《普通混凝土力学性能试验方法标准》GB/T 50081的有关规定，必须采用钢制模型，装入混凝土之前，应确认模型的挡块不松动。

【**B.0.2解析**】 钢制模型的弹性模量与混凝土中的钢筋相同。宜采用单块模型。

B.0.3 试件养护和脱模应符合下列规定：

　　1 试件制作和养护的标准温度应为（20±2）℃。当在非标准温度条件下制作时，应记录制作和养护温度。

　　2 试件应带模在湿润状态下养护至规定龄期。可将试件置于水槽中，或置于空气中，并在其表面覆盖湿布。

　　3 在到达龄期、检验开始前，可将模型拆除。脱模时，模型破损或接缝处张开的试件，不得用于检验。

【**B.0.3解析**】 为了保证混凝土膨胀需要的水分，达到理想的膨胀效果，需要保持湿润的养护环境；为了使试件充分受到约束，应该在检验开始前拆模。

B.0.4 抗压强度检验应符合现行国家标准《普通混凝土力学性能试验方法标准》GB/T 50081 的有关规定。

第二部分

相关标准规范

中华人民共和国建材行业标准

JC 476-2001

代替 JC 476-1998

混凝土膨胀剂

Expansive agents for concrete

---

1 范围

本标准规定了混凝土膨胀剂的定义、技术要求、试验方法、检验规则及包装、标志、运输和储存。

本标准适用于硫铝酸钙类、硫铝酸钙——氧化钙类与氧化钙类混凝土膨胀剂。

2 引用标准

下列标准包含的条文，通过在本标准中引用而构成本标准的条文。在标准出版时，所示版本均为有效。所有标准都会被修订，使用本标准的各方应探讨使用下列标准最新版本的可能性。

GB 175-1999　　　硅酸盐水泥、普通硅酸盐水泥

GB/T 176-1996　　水泥化学分析方法（eqv ISO680：1990）

GB 1345-1991　　 水泥细度检验方法（80μm 筛筛析法）

GB 1346-1989　　 水泥标准稠度用水量、凝结时间、安定性检验方法（neq ISO/DIS9597）

GB 4357-1989　　 碳素弹簧钢丝

GB/T 8074-1987　 水泥比表面积测定方法（勃氏法）

GB 12573-1990　　水泥取样方法

GB/T 17671-1999 水泥胶砂强度检验方法（ISO 法）

JGJ 63-1989　　　混凝土拌合用水标准

JC/T 420-1991　　水泥原料中氯的化学分析方法

3　定义

混凝土膨胀剂是指与水泥、水拌合后经水化反应生成钙矾石、钙矾石和氢氧化钙或氢氧化钙，使混凝土产生膨胀的外加剂。

4　分类

混凝土膨胀剂分为三类。

4.1　硫铝酸钙类混凝土膨胀剂

是指与水泥、水拌合后经水化反应生成钙矾石的混凝土膨胀剂。

4.2　硫铝酸钙—氧化钙类混凝土膨胀剂

是指与水泥、水拌合后经水化反应生成钙矾石和氢氧化钙的混凝土膨胀剂。

4.3　氧化钙类混凝土膨胀剂

是指与水泥、水拌合后经水化反应生成氢氧化钙的混凝土膨胀剂。

5　技术要求

混凝土膨胀剂性能指标应符合表1规定。

表1　混凝土膨胀剂性能指标

项　　　　　目			指　标　值
化学成分	氧化镁（%）	≤	5.0
	含水率（%）	≤	3.0
	总碱量（%）	≤	0.75
	氯离子（%）	≤	0.05
物理性能	细　度	比表面积(m²/kg) ≥	250
		0.08mm 筛筛余（%） ≤	12
		1.25mm 筛筛余（%） ≤	0.5

续表1

项	目			指 标 值
物理性能	凝结时间	初凝（min）	≥	45
		终凝（h）	≤	10
	限制膨胀率（%）	水 中	7d ≥	0.025
			28d ≤	0.10
		空气中	21d ≥	−0.020
	抗压强度（MPa）	A 法	7d ≥	25
			28d ≥	45
		B 法	7d ≥	20
			28d ≥	40
	抗折强度（MPa）	A 法	7d ≥	4.5
			28d ≥	6.5
		B 法	7d ≥	3.5
			28d ≥	5.5

注：1. 细度用比表面积和 1.25mm 筛筛余或 0.08mm 筛筛余和 1.25mm 筛筛余表示，仲裁检验用比表面积和 1.25mm 筛筛余。2. 检验时 A、B 两法均可使用，仲裁检验采用 A 法。

6 试验方法

6.1 化学成分

6.1.1 氧化镁、总碱量
按 GB/T 176 进行。

6.1.2 含水率
按 JC 477 进行。

6.1.3 氯离子
按 JC/T 420 进行。

6.2 物理性能

6.2.1 试验材料

40

6.2.1.1　水泥

A 法采用 GB8076 规定的基准水泥。B 法采用符合 GB175 强度等级为 42.5MPa 的普通硅酸盐水泥，且熟料中 C_3A 含量 6%～8%，总碱量（$Na_2O+0.658K_2O$）不大于 1.0%。

6.2.1.2　标准砂

符合 GB/T 17671 要求。

6.2.1.3　水

符合 JGJ 63 要求。

6.2.2　细度

比表面积测定按 GB/T 8074 的规定进行。0.08mm 筛筛余测定按 GB/T 1345 的规定进行。1.25mm 筛筛余测定参照 GB/T 1345 中干筛法进行。

6.2.3　凝结时间

按 GB/T 1346 进行，膨胀剂掺量同限制膨胀率和强度。

6.2.4　限制膨胀率

按本标准附录 A 进行。

6.2.5　抗压强度与抗折强度

按 GB/T 17671 进行。

每成型三条试体需称量的材料及用量如表 2。

表 2　抗压强度与抗折强度材料用量表

材　　料	代　　号	用　　量
水　泥 g	C	396
膨胀剂 g	E	54
标准砂 g	S	1350
拌合水 g	W	225

注：1. $\dfrac{E}{C+E}=0.12$　$\dfrac{S}{C+E}=3.0$　$\dfrac{W}{C+E}=0.50$

2. 混凝土膨胀剂检验时的最大掺量为 12%，但允许小于 12%。生产厂在产品说明书中，应对检验限制膨胀率、抗压强度和抗折强度规定统一的掺量。

7 检验规则

7.1 编号及取样

膨胀剂出厂前按同品种编号和取样。袋装和散装膨胀剂应分别进行编号、取样。每一编号为一取样单位，膨胀剂出厂编号按生产能力规定：

日产量超过 200t 时，以不超过 200t 为一编号，不足 200t 时，应以不超过日产量为一编号。

每一编号为一取样单位，取样方法按 GB/T 12573 进行。取样应具有代表性，可连续取，也可从 20 个以上不同部位取等量样品，总量不小于 10kg。

7.2 试样及留样

每一编号取得的试样应充分混匀，分为两等份：一份由生产厂按本标准第六章规定的方法进行出厂检验，一份从产品出厂日起密封保存三个月，供作仲裁检验时使用。

7.3 检验分类

7.3.1 出厂检验

每一编号混凝土膨胀剂，应检验下列项目：细度、凝结时间、水中 7d 的限制膨胀率、抗压强度和抗折强度。

7.3.2 型式检验

型式检验项目包括表 1 性能指标。有下列情况之一者，应进行型式检验：

a）正常生产时，每半年至少进行一次检验；

b）新产品或老产品转厂生产的试制定型鉴定；

c）正式生产后，如材料、工艺有较大改变，可能影响产品性能时；

d）产品长期停产后，恢复生产时；

e）出厂检验结果与上次型式检验有较大差异时；

f）国家质量监督机构提出进行型式检验要求时。

7.4 判定规则

经检验，产品各项性能均符合表 1 规定指标，判为合格品；若有一项指标不符合本标准要求时，则判为不合格品，不合格品不得出厂。

7.5 试验报告

试验报告内容应包括本标准出厂检验与型式检验项目。

生产厂应在产品发出之日起 12d 内寄发出厂检验报告和型式检验报告；28d 强度数值，应在产品发出之日起 32d 内补报。

7.6 仲裁检验

若用户对产品质量提出疑问，用生产厂同一编号的封存样交由国家指定的省级以上质量监督检验机构进行仲裁检验。如用户要求现场取样，由用户和生产单位人员协商于现场共同取样。

8 包装、标志、运输与储存

8.1 包装

产品可以袋装或散装。袋装时须用防潮的包装袋。袋装产品每袋净重 50kg，且不得少于标志重量的 98％。随机抽取 20 袋，产品总重量不得少于 1000kg。其他包装形式由供需方协商确定。

8.2 标志

包装袋上应清楚标明：产品名称、执行标准、类别、编号、生产日期、净含量、生产厂名及严防受潮等字样。

散装时应提交与袋装标志相同内容的卡片。

8.3 运输与贮存

产品在运输与贮存时，不得受潮和混入杂物，不同种类的产品应分别储存，不得混杂。

产品自生产日期起计算，在符合标准的包装、运输、贮存的条件下贮存期为 6 月，过期应重新进行物理性能检验。

附 录 A
混凝土膨胀剂的限制膨胀率试验方法

A1 仪器

A1.1 搅拌机、振动台、试模、及下料漏斗按 GB/T 17671 规定。

A1.2 测量仪

测量仪由千分表和支架组成（图 A1），千分表刻度值最小为 0.001mm。

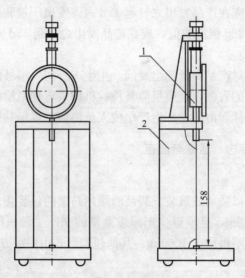

图 A1 测量仪

1—电子数显千分表，量程 10mm 2—支架

A1.3 纵向限制器

A1.3.1 纵向限制器由纵向钢丝与钢板焊接制成（图 A2）。

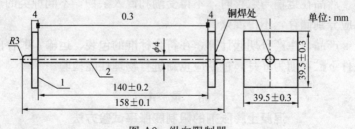

图 A2 纵向限制器

1—钢板 2—钢丝

A1.3.2 钢丝采用 GB4357 规定的 D 级弹簧钢丝，铜焊处拉脱强度不低于 785MPa。

A1.3.3 纵向限制器不应变形，生产检验使用次数不应超过 5 次，仲裁检验不应超过一次。

A2 试验室温度、湿度

A2.1 试验室、养护箱、养护水的温度、湿度应符合 GB/T 17671 的规定。

A2.2 恒温恒湿（箱）室温为（20±2）℃，湿度为（60±5）%。

A2.3 每日应检查、记录温度、湿度变化情况。

A3 试体制作

试体全长 158mm，其中胶砂部分尺寸为 40mm×40mm×140mm。

A3.1 试验材料

见本标准 6.2.1。

A3.2 水泥胶砂配合比

每成型三条试体需称量的材料和用量如表 A1。

表 A1 限制膨胀率材料用量表

材　料	代　号	用　量
水 泥 g	C	457.6
膨胀剂 g	E	62.4
标准砂 g	S	1040
拌合水 g	W	208

注：1. $\dfrac{E}{C+E}=0.12$　$\dfrac{S}{C+E}=2.0$　$\dfrac{W}{C+E}=0.40$

2. 混凝土膨胀剂检验时的最大掺量为 12%，但允许小于 12%。生产厂在产品说明书中，应对检验限制膨胀率、抗压强度和抗折强度规定统一的掺量。

45

A3.3 水泥胶砂搅拌、试体成型

按 GB/T 17671 规定进行。

A3.4 试体脱模

脱模时间以 A3.2 规定配比试体的抗压强度（10±2）MPa 确定。

A4 试体测长和养护

A4.1 试体测长

试体脱模后在 1h 内测量初始长度。

测完初始长度的试体立即放入水中养护，测量第 7d 的长度（L_1）变化，即水中 7d 的限制膨胀率。

测完初始长度的试体立即放入水中养护，测量第 28d（L_1）的长度变化，即水中 28d 的限制膨胀率。

测完水中养护 7d 试体长度后，放入恒温恒湿（箱）室养护，测量长度（L_1）变化，即为空气中 21d 的限制膨胀率。

测量前 3h，将测长仪、标准杆放在标准试验室内，用标准杆校正测量仪并调整千分表零点。测量前，将试体及测量仪测头擦净。每次测量时，试体记有标志的一面与测量仪的相对位置必须一致，纵向限制器测头与测长仪测头应正确接触，读数应精确至 0.001mm。不同龄期的试体应在规定时间±1h 内测量。

A4.2 试体养护

养护时，应注意不损伤试体测头。试体之间应保持 15mm 以上间隔，试体支点距限制钢板两端约 30mm。

A5 结果计算

限制膨胀率按式（A1）计算：

$$\varepsilon = \frac{L_1 - L}{L_0} \times 100 \qquad (A1)$$

式中 ε——限制膨胀率，%；

L_1——所测龄期的限制试体长度，mm；

L——限制试体初始长度，mm；

L_0——限制试体的基长，140mm。

取相近的两条试体测定值的平均值作为限制膨胀率测定结果，计算应精确至小数点后第三位。

混凝土外加剂应用技术规范
GB 50119-2003——膨胀剂

8.1 品种

8.1.1 混凝土工程可采用下列膨胀剂：

 1 硫铝酸钙类；

 2 硫铝酸钙—氧化钙类；

 3 氧化钙类。

8.2 适用范围

8.2.1 膨胀剂的适用范围应符合表8.2.1的规定。

表 8.2.1　膨胀剂的适用范围

用　　途	适　用　范　围
补偿收缩混凝土	地下、水中、海水中、隧道等构筑物，大体积混凝土（除大坝外），配筋路面和板、屋面与厕浴间防水、构件补强、渗漏修补、预应力混凝土、回填槽等
填充用膨胀混凝土	结构后浇缝、隧洞堵头、钢管与隧道之间的填充等
填充用膨胀砂浆	机械设备的底座灌浆、地脚螺栓的固定、梁柱接头、构件补强、加固等
自应力混凝土	仅用于常温下使用的自应力钢筋混凝土压力管

8.2.2 含硫铝酸钙类、硫铝酸钙—氧化钙类膨胀剂配制的混凝土（砂浆）不得用于长期环境温度为80℃以上的工程。

8.2.3 含氧化钙类膨胀剂配制的混凝土（砂浆）不得用于海水或有侵蚀性水的工程。

8.2.4 掺膨胀剂的混凝土只适用于钢筋混凝土工程和填充性混

凝土工程。

8.2.5 掺膨胀剂的大体积混凝土，其内部最高温度应符合有关标准的规定，混凝土内外温差宜小于 25℃。

8.2.6 掺膨胀剂的补偿收缩混凝土刚性屋面宜用于南方地区，其设计、施工应按《屋面工程质量验收规范》GB 50207 进行。

8.3 掺膨胀剂混凝土（砂浆）的性能要求

8.3.1 施工用补偿收缩混凝土，其性能应满足表 8.3.1 的要求，限制膨胀率与干缩率的检验应按附录 B 方法进行；抗压强度的试验应按《普通混凝土力学性能试验方法标准》GB/T50081 进行。

表 8.3.1 补偿收缩混凝土的性能

项 目	限制膨胀率（×10⁻⁴）	限制干缩率（×10⁻⁴）	抗压强度（MPa）
龄期	水中 14d	水中 14d，空气中 28d	28d
性能指标	≥1.5	≤3.0	≥25

8.3.2 填充用膨胀混凝土；其性能应满足表 8.3.2 的要求，限制膨胀率与干缩率的检验按附录 B 法进行。

表 8.3.2 填充用膨胀混凝土的性能

项 目	限制膨胀率（×10⁻⁴）	限制干缩率（×10⁻⁴）	抗压强度（MPa）
龄期	水中 14d	水中 14d，空气中 28d	28d
性能指标	≥2.5	≤3.0	≥30.0

8.3.3 掺膨胀剂混凝土的抗压强度试验应按《普通混凝土力学性能试验方法标准》GB/T 50081 进行。填充用膨胀混凝土的强度试件应在成型后第三天拆模。

8.3.4 灌浆用膨胀砂浆；其性能应满足表 8.3.4 的要求。灌浆用膨胀砂浆用水量按砂浆流动度 250±10mm 的用水量。抗压强度采用 40mm×40mm×160mm 试模，无振动成型，拆模、养护、强度检验应按《水泥胶砂强度检验方法（ISO 法）》GB/T17671 进行，竖向膨胀率的测定方法应按附录 C 进行。

表 8.3.4　灌浆用膨胀砂浆性能

流动度 (mm)	竖向限制膨胀率（×10⁻⁴）		抗压强度（MPa）		
	3d	7d	1d	3d	28d
≥250	≥10	≥20	≥20	≥30	≥60

8.3.5 自应力混凝土：掺膨胀剂的自应力混凝土的性能应符合《自应力硅酸盐水泥》JC/T 218 的规定。

8.4　设计要求

8.4.1 掺膨胀剂的补偿收缩混凝土应在限制条件下使用，构造（温度）钢筋的设计和特殊部位的附加筋，应符合《混凝土结构设计规范》GB 50010 规定。

8.4.2 墙体易于出现竖向收缩裂缝，其水平构造筋的配筋率宜大于 0.4%，水平筋的间距宜小于 150mm，墙体的中部和顶端 300～400mm 范围内水平筋间距宜为 50～100mm。

8.4.3 墙体与柱子连接部位宜插入长度 1500～2000mm、ϕ8～ϕ10mm 的加强钢筋，插入柱子 200～300mm，插入边墙 1200～1600mm，其配筋率应提高 10%～15%。

8.4.4 结构开口部位、变截面部位和出入口部位应适量增加附加筋。

8.4.5 楼面宜配置细而密的构造配筋网，钢筋间距宜小于 150mm，配筋率宜为 0.6% 左右；现浇补偿收缩钢筋混凝土防水屋面应配双层钢筋网，构造筋间距宜小于 150mm，配筋率宜大于 0.5%。楼面和屋面后浇缝最大间距不宜超过 50m。

8.4.6 地下室和水工构筑物的底板和边墙的后浇缝最大间距不

宜超过 60m，后浇缝回填时间为不应少于 28d。

8.5 施工

8.5.1 掺膨胀剂混凝土所采用的原材料应符合下列规定：

膨胀剂：应符合《混凝土膨胀剂》JC 476 标准的规定；膨胀剂运到工地（或混凝土搅拌站）应进行限制膨胀率检测，合格后方可入库、使用。

水泥：应符合现行通用水泥国家标准，不得使用硫铝酸盐水泥、铁铝酸盐水泥和高铝水泥。

8.5.2 掺膨胀剂的混凝土的配合比设计应符合下列规定：

1 胶凝材料最少用量（水泥、膨胀剂和掺合料的总量）应符合表 8.5.2 的规定；

表 8.5.2　胶凝材料最少用量

膨胀混凝土种类	胶凝材料最少用量（kg/m³）
补偿收缩混凝土	300
填充用膨胀混凝土	350
自应力混凝土	500

2 水胶比不宜大于 0.5；

3 用于有抗渗要求的补偿收缩混凝土的水泥用量应不小于 320kg/m³，当掺入掺合料时，其水泥用量不应小于 280kg/m³；

4 补偿收缩混凝土的膨胀剂掺量不宜大于 12%，不宜小于 6%；填充用膨胀混凝土的膨胀剂掺量不宜大于 15%，不宜小于 10%；

5 以水泥和膨胀剂为胶凝材料的混凝土。设基准混凝土配合比中水泥用量为 m_{C0}、膨胀剂取代水泥率为 K，膨胀剂用量 $m_E = m_{C0} \cdot K$，水泥用量 $m_C = m_{C0} - m_E$；

6 以水泥、掺合料和膨胀剂为胶凝材料的混凝土，设膨胀剂取代胶凝材料为 K、设基准混凝土配合比中水泥用量为 $m_{C'}$ 和掺合料用量为 $m_{F'}$，膨胀剂用量 $m_E = (m_{C'} + m_{F'}) \cdot K$、掺合料

用量 $m_F = m_{F'}$ （$1-K$）、水泥用量 $m_C = m_{C'}$ （$1-K$）。

8.5.3 其他外加剂用量的确定方法：膨胀剂可与其他混凝土外加剂复合使用，应有较好的适应性，膨胀剂不宜与氯盐类外加剂复合使用，与防冻剂复合使用时应慎重，外加剂品种和掺量应通过试验确定。

8.5.4 粉状膨胀剂应与混凝土其他原材料一起投入搅拌机，拌合时间应延长 30s。

8.5.5 混凝土浇筑应符合下列规定：

1 在计划浇筑区段内连续浇筑混凝土，不得中断。

2 混凝土浇筑以阶梯式推进，浇筑间隔时间不得超过混凝土的初凝时间。

3 混凝土不得漏振、欠振和过振。

4 混凝土终凝前，应采用抹面机械或人工多次抹压。

8.5.6 混凝土养护应符合下列规定：

1 对于大体积混凝土和大面积板面混凝土，表面抹压后用塑料薄膜覆盖，混凝土硬化后，宜采用蓄水养护或用湿麻袋覆盖，保持混凝土表面潮湿，养护时间不应少于 14d；

2 对于墙体等不易保水的结构，宜从顶部设水管喷淋，拆模时间不宜少于 3d，拆模后宜用湿麻袋紧贴墙体覆盖，并浇水养护，保持混凝土表面潮湿，养护时间不宜少于 14d；

3 冬季施工时，混凝土浇筑后，应立即用塑料薄膜和保温材料覆盖，养护期不应少于 14d。对于墙体，带模板养护不应少于 7d。

8.5.7 灌浆用膨胀砂浆施工应符合下列规定：

1 灌浆用膨胀砂浆的水料（胶凝材料＋砂）比应为 0.14～0.16，搅拌时间不宜少于 3min；

2 膨胀砂浆不得使用机械振捣，宜用人工插捣排除气泡，每个部位应从一个方向浇筑；

3 浇筑完成后，应立即用湿麻袋等覆盖暴露部分，砂浆硬化后应立即浇水养护，养护期不宜少于 7d；

4 灌浆用膨胀砂浆浇筑和养护期间，最低气温低于 5℃时，应采取保温保湿养护措施。

8.6 混凝土的品质检查

8.6.1 掺膨胀剂的混凝土品质，应以抗压强度、限制膨胀率和限制干缩率的试验值为依据。有抗渗要求时，还应做抗渗试验。

8.6.2 掺膨胀剂混凝土的抗压强度和抗渗检验，应按《普通混凝土力学性能试验方法标准》GB/T 50081 和《普通混凝土长期性能和耐久性能试验方法》GBJ82 进行。

附录 B

补偿收缩混凝土的膨胀率及干缩率的测定方法

B.0.1 本测定方法适用于测定掺膨胀剂混凝土的限制膨胀率及限制干缩率。

B.0.2 测定补偿收缩混凝土纵向限制膨胀率和纵向限制收缩率所用仪器，应符合以下规定：

1 试模规格为 100mm×100mm×400mm。试件全长为 355mm，其中混凝土部分为 100mm×100mm×300mm，试件中间埋入一个纵向限制器具；

2 纵向限制器具装置（见附图 B-1）所用的钢筋和钢板，应符合下列要求：

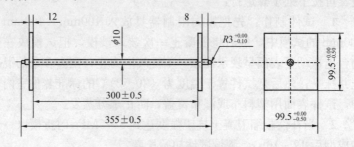

附图 B-1　纵向限制器

1）钢筋采用《钢筋混凝土用热轧带肋钢筋》GB 1499 中规

53

定的钢筋，公称直径 10mm，公称横截面面积 78.54mm²。钢筋两侧焊 12mm 厚的钢板，材质符合《碳素结构钢》GB 700 技术要求，钢筋两端点各 7.5mm 范围内为黄铜，测头呈球面状，半径为 3mm；

2）钢板与钢筋焊接处的焊接强度，不应低于 260MPa；

3）纵向限制器具一般检验可重复使用三次，仲裁检验只允许使用一次，如骨架变形或焊缝开裂应废弃。

3 测量仪器精度为 0.001mm 的专用测长仪器，附图 B-2 是混凝土膨胀、收缩测量仪示意图。

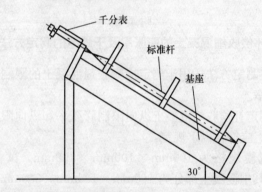

附图 B-2 补偿收缩混凝土膨胀、收缩测量仪示意图

B.0.3 补偿收缩混凝土纵向限制膨胀率和纵向限制收缩率的试验，可按下列步骤进行：

1 试件制作：先把纵向限制器具放入 100mm×100mm×400mm 的试模中，然后将混凝土一次装入试模，把试模放在振动台上振动至表面呈现水泥浆，不泛气泡为止，刮去多余的混凝土并抹平；然后把试件置于温度为（20±2）℃的标准养护室内养护，试件表面用塑料布或湿布覆盖，防止水分蒸发。

2 当补偿收缩混凝土抗压强度达到 3～5MPa 时拆模（一般为成型后 12～16h），测量试件初始长度。

3 测量前 3h，将测长仪、标准杆放在测量室内，用标准杆校正测长仪。测量前，将试件测头及测量仪测头擦净。测量时，

54

将记有编号的一面朝上，面向测量者，其方向和位置要固定一致，不得随意变动，使纵向限制器测头与测量仪测头正确接触，读数应精确至 0.001mm。试件测定时间应为规定龄期±1h。每个试件长度，应重复测量三次，取其稳定值。

4 将测定初始长度后的试件浸入（20±2）℃的水中养护，分别测定 3d、7d、14d 的长度，然后移入室温为（20±2）℃相对湿度为（60±5）％的恒温恒湿箱或恒温恒湿室内养护，分别测定 28d、42d 的长度；上述测长龄期，一律从成型日算起。

5 每组成型的三个试件，取其算术平均值作为长度变化。计算应精确至小数点后第三位。

$$\varepsilon_t = \frac{L_t - L_0}{L} \times 100 \qquad (\text{附 B-1})$$

式中 ε_t——试件的龄期 t 时的纵向限制膨胀率或纵向限制干缩率，（％）；

L——试件基准长度（300mm）；

L_0——试件长度的初始读数（mm）；

L_t——试件在龄期 t 时的长度读数（mm）。

附录 C 灌浆用膨胀砂浆竖向膨胀率的测定方法

C.0.1 本试验方法适用于灌浆用膨胀砂浆的竖向膨胀率的测定。

C.0.2 测试仪器工具应符合下列规定：

1 百分表：量程 10mm；

2 百分表架：磁力表架；

3 玻璃板：长 140mm×宽 80mm×厚 5mm；

4 试模：100mm×100mm×100mm 立方体试模的拼装缝应填入黄油，不得漏水；

5 铲勺：宽 60mm，长 160mm；

6 捣板：可钢锯条代用；

7 钢垫板：长 250mm×宽 250mm×厚 15mm 普通钢板；

C.0.3 仪表安装应满足下列要求，其示意图如下。

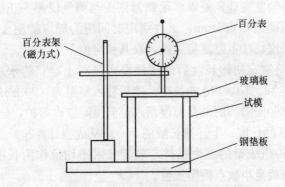

百分表架
（磁力式）

百分表

玻璃板

试模

钢垫板

附图 C　竖向膨胀率装置示意图

1 钢垫板：表面平装，水平放置在工作台上，水平度不应超过 0.02；

2 试模：放置在钢垫板上，不可摇动；

3 玻璃板：平放在试模中间位置。其左右两边与试模内侧边留出 10mm 空隙；

4 百分表：百分表与百分表架卡头固定牢靠。但表杆能够自由升降。安装百分表时，要下压表头，使表针指到量程的 1/2 处左右。百分表不可前后左右倾斜；

5 百分表架固定在钢垫板上，尽量靠近试模，缩短横杆悬臂长度。

C.0.4 灌浆操作应按下列步骤进行：

1 灌浆料用水量按流动度为（250±10）mm 的用水量；

2 灌浆料加水搅拌均匀后立即灌模。从玻璃板的一侧灌入。当灌到 50mm 左右高度时，用捣板在试模的每一侧插捣 6 次，中间部位也插捣 6 次。灌到 90mm 高度时，和前面相同再做插捣，尽量排出气体。最后一层灌浆料要一次灌至两侧流出灌浆料为止。要尽量减少灌浆料对玻璃板产生的向上冲浮作用；

3 玻璃板两侧灌浆料表面，用小刀轻轻抹成斜坡，斜坡的高边与玻璃相平。斜坡的低边与试模内侧顶面相平。抹斜坡的时间不应超过 30s。成型温度、养护温度均为（20±3）℃；

4 做完斜坡，把百分表测量头垂放在玻璃板上，在 30s 内记录百分表读数，h_0。为初始读数；

5 测定初始读数后 30s 内，玻璃板两侧灌浆料表面盖上二层湿棉布；

6 从测定初始读数起，每隔 2h 浇水 1 次。连续浇水 4 次。以后每隔 4h 浇水 1 次。保湿养护至要求龄期，测定 3d、7d 试件高度读数；

7 从测量初始读数开始，测量装置和试件应保持静止不动，并不受振动。

C.0.5 竖向膨胀率应按下式进行计算：

$$\varepsilon_t = \frac{h_t - h_0}{h} \times 100 \qquad \text{（附 C-1）}$$

式中 ε_t——竖向膨胀率；

h_0——试件高度的初始读数（mm）；

h_t——试件龄期为 t 时的高度读数（mm）；

h——试件基准高度 100（mm）。

试验结果取一组三个试件的算术平均值，计算精确至 10^{-2}。

第三部分
补偿收缩混凝土技术及实例

专题一　补偿收缩混凝土应用技术现状与发展

1　混凝土膨胀剂发展概述

混凝土膨胀剂（Expansive Agent for Concrete）是在膨胀水泥基础上发展而来的一种混凝土外加剂，在现场掺入硅酸盐水泥中可拌制成膨胀混凝土。日本是最先开发膨胀剂的国家，1962年，日本大成建筑技术研究所购买了美国 A. Klein 的 K 型膨胀水泥专利，在此基础上，研制成功硫铝酸钙膨胀剂（Calcium Sulfo-Aluminate，简称 CSA），它是用石灰石、矾土和石膏配制成生料，经电融烧制成一种含有无水硫铝酸钙 $C_4A_3\bar{S}$、CaO 和 $CaSO_4$ 的熟料，然后粉磨成膨胀剂。1969 年，日本水泥公司出售名为"阿沙那波卡"CSA 膨胀剂。在水泥中内掺 CSA（等量取代水泥重量）8％～10％可拌制成补偿收缩混凝土，内掺15％～25％可拌制成自应力混凝土。

1970 年，日本小野田水泥公司研制成功石灰系膨胀剂，它是用石灰石、石膏和黏土配制成生料，经 1400℃左右煅烧成含有游离氧化钙 40％～50％的膨胀熟料，再经粉磨制成石灰系膨胀剂。它通过 CaO 水化生成 Ca（OH）$_2$ 使混凝土产生膨胀，在水泥中掺入 7％～10％可制得补偿收缩混凝土。应该指出，由于 CaO 水化后的稳定性受许多因素影响，Ca（OH）$_2$ 的胶凝性和防渗性较差，抗硫酸盐侵蚀性能不良，因此石灰系膨胀剂在日本的销量呈下降趋势。

近年，俄罗斯、美国、澳大利亚、保加利亚等国也开展了混凝土膨胀剂的研制，采用含铝矿渣、含有铝酸钙的工业废渣、硫铝酸钙熟料、煅烧明矾石和煅烧高岭土等作膨胀组分，膨胀源为钙矾石。

20 世纪 90 年代后，美国的 P. K. Mehta 等为解决大体积混凝土温差裂缝问题，提出在水泥中掺入 5％ 的 MgO，只要 MgO 煅烧控制在 900～950℃ 的温度范围内，物料粒度 300～1180μm，MgO 所产生的膨胀速率是符合补偿大体积混凝土冷缩要求的。1997 年日本电气化学工业公司推出"电化 CSA100R"新型膨胀剂，以 30kg/m³ 替代水泥，使水泥的水化速度减缓，抑制了温升，在混凝土最高温度降至常温过程中，由于 CSA 水化产生的膨胀能在温度下降时也会持续，从而减缓温度下降的体积收缩，防止大体积混凝土开裂。

我国从 20 世纪 70 年代进行混凝土膨胀剂的研究。1974 年，中国建筑材料科学研究院研制出类似日本 CSA 的硫铝酸钙膨胀剂，与日本电融法不同的是，我国采用的是回转窑烧结法制成 CSA 熟料，粉磨至比表面积为 2000～3000cm²/g，制成膨胀剂。由于无法解决烧成中物料结圈问题，一直没有投入工业化生产。

1979 年，安徽省建筑科学研究院在明矾石膨胀水泥基础上，研制成功明矾石膨胀剂（EA-L），由不煅烧明矾石与石膏粉磨而成，在水泥中掺入 15％～18％，可拌制成补偿收缩混凝土。但由于掺量大、碱含量高，目前已被淘汰。

1985 年后，中国建筑材料科学研究院研制成功氧化钙—硫铝酸钙型的复合膨胀剂（CEA）。用含 f-CaO 为 40％～50％ 的膨胀熟料，与明矾石和石膏粉磨而成。其后，又研制成功用铝酸盐水泥熟料、明矾石和石膏磨制而成的铝酸钙膨胀剂（AEA）。1986 年研制成功 U-I 型膨胀剂（UEA），用特制硫铝酸盐熟料（CSA 类熟料）、明矾石和石膏粉磨而成。由于熟料烧制困难，以后又陆续开发了 UEA-Ⅱ、UEA-Ⅲ、UEA-Ⅳ 型膨胀剂，UEA、AEA 和 CEA 三种产品均通过部级技术鉴定，其中 UEA 膨胀剂及其应用获国家科技进步二等奖。目前，UEA 和 AEA 是国内膨胀剂的主导产品，生产厂家约 30 个，占国内总销量的 80％ 左右。

与此同时，同济大学研制出早强型硫铝酸盐膨胀剂，长江科学院研制出大坝混凝土膨胀剂。1985 年，南京化工学院研制成功氧化镁膨胀剂，用于水电站坝基混凝土。

1990 年，山东省建筑科学研究院研制成功以明矾石和石膏为主原料的 PNC 膨胀剂，1992 年又研制成功 JEA 膨胀剂，浙江工业大学研制出 TEA 膨胀剂，江西省建材研究院开发了 HEA 膨胀剂等，这些膨胀剂均属硫铝酸钙类，掺量为 10%～12%。

1992 年我国制定了建材行业标准《混凝土膨胀剂》JC476，该标准统一了试验方法和技术指标，但对膨胀剂掺量和碱含量未作规定，水平较低，对质量较差的膨胀剂约束力不够。随着我国对混凝土碱-集料反应的重视，1998 年对该标准进行了修订，规定膨胀剂的碱含量不得超过 0.75%。标准检验时的内掺量不得大于 12%。为与国际接轨，1999 年我国开始实施 ISO 水泥标准，因此，在 2001 年对该标准进行第三次修订，对膨胀剂质量提出了更高的要求。

为不断提高膨胀剂的技术水平，以中国建筑材料科学研究院为代表，对混凝土膨胀剂进行了深入持续的研究，加速产品的更新换代。中国建筑材料科学研究院分别以特制铝酸钙水泥熟料和铝酸钙－硫铝酸钙水泥熟料作为膨胀组分，研制出掺量为 6%～8%的高性能膨胀剂（UEA-H），又名 ZY 膨胀剂；唐山北极熊特种水泥公司对硫酸钙水泥熟料进行改性，再将该熟料与石膏、石灰石磨制成 CAS 膨胀剂；石家庄市功能建材公司以铝酸钙熟料、硫铝酸钙熟料、石膏和分散剂磨制成 FEA 膨胀剂；中国建筑材料科学研究院与天津豹鸣股份有限公司合作，在日本 CSA 基础上研制出新型高性能 HCSA 膨胀剂；重庆市江北特种建材有限公司和南京特种建筑材料股份有限公司等生产低碱低掺量 UEA 膨胀剂；广西云燕特种水泥公司生产低掺量 AEA 膨胀剂。

经过 20 年的努力，我国混凝土膨胀剂质量的发展经历了高碱高掺、中碱中掺和低碱低掺的三个阶段（见表 1），膨胀剂的主要组成列于表 2。

表1 膨胀剂质量发展的三个阶段

阶　段	年　份	碱含量 (%)	检验掺量 (%)	品牌代表
高碱高掺	1980～1985	1.8～2.0	15～20	EA-L
中碱中掺	1986～1997	0.80～1.0	10～12	UEA-Ⅰ,UEA-Ⅱ,AEA,CEA,PNC
	1998～2000	0.50～0.75	10～12	UEA-Ⅲ,AEA,CEA,PNC,HEA
低碱低掺	2000以后	0.25～0.50	6～8	UEA-H,ZY,CSA,FEA,HCSA

表2 我国主要膨胀剂的组成情况

膨胀剂品种	品牌	基本组成	标准掺量 (%)	碱含量 (%)	膨胀水化产物
明矾石膨胀剂	EA-L	明矾石,石膏	15	1.8～2.0	钙矾石
U-Ⅰ型膨胀剂	UEA-Ⅰ	硫铝酸盐熟料, 明矾石,石膏	12	1.0～1.5	钙矾石
U-Ⅱ型膨胀剂	UEA-Ⅱ	硫酸铝盐熟料, 明矾石,石膏	12	0.8～1.2	钙矾石
U-Ⅲ型膨胀剂	UEA-Ⅲ	硅铝酸盐熟料, 明矾石,石膏	12	0.5～0.75	钙矾石
U-Ⅳ型膨胀剂	UEA-H	硫酸钙-硫铝酸钙 熟料,石膏	8	0.3～0.5	钙矾石
铝酸钙膨胀剂	AEA	铝酸盐水泥, 明矾石,石膏	8	0.5～0.7	钙矾石
分散性膨胀剂	FEA	铝酸盐-硫铝酸盐熟料、 石膏、分散剂	8	0.5～0.7	铝矾石
复合膨胀剂	CEA	石灰系熟料, 明矾石石膏	8	0.5～0.7	氢氧化钙, 钙矾石

我国膨胀剂开发较晚,1990年销量为1.8万t,随着掺膨胀

剂的补偿收缩混凝土结构自防水、超长结构无缝设计和施工方法以及大体积混凝土裂渗控制三大应用技术的推广，膨胀剂的销量逐年递增，1994 年达 18 万 t，1998 年达 30 万 t，2003 年达 60 万 t，2005 年达 100 万 t，居世界同类产品之首，见图 1。

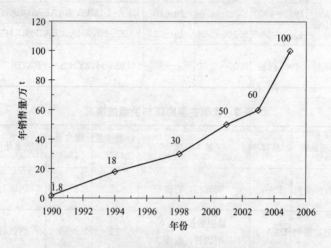

图 1　混凝土膨胀剂的年销量的趋势

2　膨胀混凝土的研究与发展

2.1　膨胀混凝土类型

研究膨胀混凝土的目的，一是为了减免普通混凝土的收缩开裂，二是探索能否利用水泥水化所产生的膨胀来张拉钢筋，简化预应力工艺。在 20 世纪 30～60 年代，随着各种膨胀水泥和混凝土膨胀剂的研制成功，为膨胀混凝土的研究与应用提供了可靠的物质基础。膨胀混凝土分为补偿收缩混凝土和自应力混凝土两种类型。

美国混凝土协会（ACI）223 委员会的定义是：

"补偿收缩混凝土是一种当膨胀受到约束产生的压应力，能大致地抵消由于混凝土在干缩中出现的拉应力的膨胀水泥混凝土。

自应力混凝土是一种当膨胀受到约束时导入很高的压应力，在干缩和徐变后，混凝土中仍然保持足够的压应力的膨胀水泥混凝土。"

从性能和实际用途来看，处于上述两种类型混凝土之间，还有一种混凝土称为填充性膨胀混凝土，在邻位强约束下，三轴方向产生膨胀压应力将使埋设部位紧密，使四周约束物与中心部件的结合状态显著加强。

根据用途，可以将膨胀混凝土按表 3 分类。

表 3 膨胀混凝土分类

类　　型	自应力值（MPa）
补偿收缩混凝土	0.2～0.7
填充性膨胀混凝土	0.7～1.0
自应力混凝土	1.0～6.0

2.2 膨胀混凝土研究概况

1936 年法国洛西叶（Lossier）研制出一种硫铝酸钙膨胀水泥后，设想用这种水泥制取化学预应力混凝土，虽然实验室的研究结果是有希望的，但是，由于在实际上控制膨胀的难度较大，而判定为没有实用价值。然而，文献记载了 Lossier 水泥曾用于石拱建筑的报导。这种水泥经改进后，曾应用于装配式闭合拱桥、地基基础和修复工程。

1943 年，前苏联米哈依洛夫（В.В.Михалов）把研制成功的不透水膨胀水泥，应用于二次世界大战中被破坏的钢筋混凝土构筑物、地下工程防潮层以及堵漏和修补工程。1955 年前后，米哈依洛夫创造了硅酸盐膨胀－自应力水泥（国外称为 M 型水泥），开始用于地下工程，如地下铁道预制拱环的接缝和防渗等，并推广到压力输水管。20 世纪 70 年代在机场、公路、大跨度薄壳、轻集料膨胀混凝土匣子结构以及大面积（1500m²）无接缝的楼板、屋面板等工程广泛使用。这些工程所用的膨胀混凝土实际上均属于补偿收缩的性质。1975 年，前苏联累计生产 3 万 t 自应力水泥，制成 7 万 m³ 膨胀混凝土。米哈依洛夫因此杰出贡献，荣获斯大林奖章。

1958 年，美国 A·克莱因（A. Klein）研制成功了硫铝酸钙膨胀水泥，取名 K 型水泥。1963 年其与同事合作，对补偿收缩混凝土进行大量研究，在多种用途上推广。1968～1970 年，美国生产 M 型水泥和 S 型水泥，均用作补偿收缩混凝土而得到推广。1972 年美国混凝土协会在佛罗里达州召开了以 Klein 冠名的国际膨胀混凝土学术会议，随后，ACI223 委员会提出《使用补偿收缩混凝土的推荐作法》（ACI223-77），这是世界上第一部关于补偿收缩混凝土性能研究、结构设计和施工的指南。

日本从 20 世纪 60 年代起开发膨胀水泥混凝土，研制和出售各种类型的膨胀剂，其中应用最广的是 CSA 膨胀剂，其次是石灰系膨胀剂。1964 年在东京召开了第一次 CSA 研究会，随后开展了掺膨胀剂的混凝土物理力学性能和耐久性研究，对补偿收缩混凝土在各种工程的应用，进行了应力-应变的实物测试以及施工技术的研究。在此基础上，日本建筑学会于 1982 年颁布了《掺膨胀剂混凝土的配合比设计和施工指南》。关于膨胀剂的适用性，建筑占 40％，土木占 25％，制品占 35％。土木主要指道路、地下沟、水槽、涵洞、灌浆，制品主要包括钢管砂浆衬里、高强桩、外压管、内压管和楼板构件等。

中国建筑材料科学研究院是我国膨胀混凝土的发源地，从 1956 年起，开展了硅酸盐自应力水泥混凝土的研究，1∶2 混凝土自应力值为 2～3MPa，随后研究出用离心法制造自应力混凝土压力管的整套生产工艺和质量控制方法，1969 年开始工业化生产自应力混凝土压力水管。1974 年起，该院又陆续研究成功自应力铝酸盐水泥和自应力硫铝酸盐水泥，1∶2 混凝土自应力值达 4～8MPa，1980 年又研究成功明矾石自应力水泥，都成功用于制造混凝土压力管。1985 年我国颁布了《自应力混凝土压力管》建材行业标准，自应力混凝土管材用离心法成型，公称直径 100～800mm，长度 3000～4000mm，工作压力为 0.4～

1.2MPa。经过 15 年的努力，形成了自应力混凝土管生产行业，到 1995 年底累计生产各种口径的自应力混凝土管材 68163km，广泛应用于城镇和工矿企业输水管道，也应用于农用水利建设引水上山管道、倒虹吸管道、喷灌管道、排涝管道和小水电站水轮机的引水管道。近年来，由于钢管、PVC 管、玻璃钢管等其他管材的竞争，自应力混凝土管生产有所下降。

我国对补偿收缩混凝土的研究始于 1960 年，中国建筑材料科学研究院先后研究成功硅酸盐膨胀水泥、石膏矾土膨胀水泥、明矾石膨胀水泥、矿渣膨胀水泥、硫铝酸盐膨胀水泥等，对这些膨胀水泥配制的补偿收缩混凝土进行了大量的系统研究。中国工程院吴中伟院士 1979 年出版的《补偿收缩混凝土》，提出了补偿收缩的原理和正确的补偿收缩模式，补偿收缩混凝土的设计和如何正确使用等指导意见。在他的指导下，我国科技工作者进行大量试验研究和工程实践，使补偿收缩混凝土得到广泛应用。

中国建筑材料科学研究院通过对膨胀水泥的研究和开发应用，发现用混凝土膨胀剂取代膨胀水泥不仅具有先进的科学技术意义，而且利于生产、运输及施工的组织，节约费用，符合市场发展方向。1985 年后，研究方向从膨胀水泥转为混凝土膨胀剂。中国建筑材料科学研究院先后研制成功 UEA、AEA 和 CEA 三种膨胀剂。在石家庄市特种水泥厂生产成功 UEA 膨胀剂后，开展了大规模的 UEA 补偿收缩混凝土试验研究，在亚运会工程、北京十三陵水下九龙宫和天津市第一人民医院地下室等一批大型工程应用成功。在此基础上开发三大应用技术，首先提出结构自防水是根本、抗裂比防渗更重要的新概念，开发补偿收缩混凝土结构自防水技术，1992 年建设部把《UEA 补偿收缩混凝土防水工法》YJGF22 - 92 列为国家级工法。随后，根据"抗、放"结合的补偿收缩混凝土原理，以膨胀加强带替代后浇带，提出《超长钢筋混凝土结构无缝设计和施工方法》专利技术（专利号93117132.6）。提出采用膨胀剂、掺合料（粉煤灰、矿渣粉）和缓凝减水剂"三掺"方法的大体积混凝土裂渗控制技术。三大技术适应我国大规模工程建设中裂渗控制的需要，在许多重大工程中得到推广应用，补偿收缩混凝土主要应用于高层建筑地下室、地铁、水厂和污水处理厂的水工构筑物、水电站大坝的面板、堵头、铁路和公路隧道、海港码头、核电站和地下发射井等。据不完全统计，至 2005 年，全国混凝土膨胀剂应用量达 500 万 t，折合补偿收缩混凝土约 1 亿 m^3，居世界之首。

3 补偿收缩混凝土的技术经济分析

补偿收缩混凝土在建筑结构中有三大用途，分别是：结构自防水、超长钢筋混凝土结构减免后浇带无缝施工和大体积混凝土裂渗控制。就某一项工程而言，这三种施工情况或独立存在，或交互存在，同时存在这三种情况的工程中，采用补偿收缩混凝土施工技术，可以将这些技术难题集中解决。

3.1 结构自防水

与混凝土相比，有机外防水材料寿命较短，因此就存在外防水寿命和结构寿命不同步的问题。在外防水失效后，混凝土结构本身能不能防水是决定结构持久防水的关键因素。因此，混凝土结构自防水是根本，只有解决混凝土结构的抗裂和抗渗问题，才能彻底解决构筑物的防水问题，强度等级 C30 以上的泵送混凝土，抗裂比抗渗更重要。补偿收缩混凝土结构自防水技术从改善混凝土收缩应力着手，立足于解决混凝土的收缩裂缝，兼有提高混凝土密实度，大幅度降低混凝土渗透性，是理想的结构自防水技术。

补偿收缩混凝土结构自防水技术施工简便。有机柔性防水材料对施工环境要求较高，在潮湿基面上不易粘接，易空鼓，一旦出现渗水点，整个防水体系全部作废，维修起来十分复杂。另外，卷材防水节点处理复杂，特别是在桩基础、下反梁结构中，无法保证施工可靠性。而采用补偿收缩混凝土结构自防水技术，防水与混凝土施工同步完成，施工操作简单，受环境限制少，即使因施工造成蜂窝麻面导致渗水也比较直观，可在内部处理，维修方便。

采用补偿收缩混凝土结构自防水技术，不同结构每平方米的防水费用见图2。按膨胀剂等量取代水泥计算，其中膨胀剂1800元/t，水泥300元/t。可以看出，其费用远低于高质量的柔性卷材防水。以长100m、宽100m、基础埋深10m、底板厚600mm、边墙厚300mm的2层地下室为例估算：

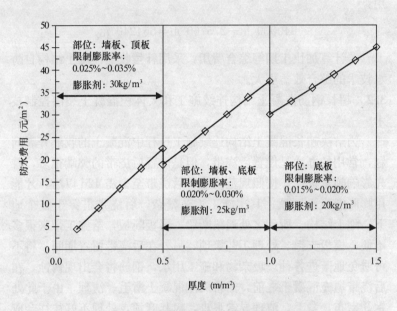

图2　掺膨胀剂混凝土的防水费用

底板防水面积：$S_1 = 100m \times 100m = 10000m^2$

底板补偿收缩混凝土结构自防水以22.5元/m²计，则底板防水费用为225000元；

边墙防水面积：$S_2 = 100m \times 4 \times (10-0.6)m = 3760m^3$

边墙补偿收缩混凝土结构自防水以13.5元/m²计，则边墙防水费用为50760元；

采用补偿收缩混凝土结构自防水技术的总防水费用为：275760元

采用外包防水时，地下室防水总面积：100m×100m＋100m ×4×10m＝14000m²

外防水工料费用单价按 60 元/m² 计，总防水费用为：

$$14000×60＝840000 元$$

采用补偿收缩混凝土结构自防水比外包卷材防水可节省费用：

$$840000 元－275760 元＝564240 元$$

若计算加快工期等综合费用，采用补偿收缩混凝土结构自防水技术的综合效益更大。

3.2 超长钢筋混凝土结构连续施工和大体积混凝土裂渗控制技术

为解决超长混凝土结构连续施工过程中混凝土的收缩开裂问题，常用的办法是设置后浇带，但是设置后浇带的弊端很多，首先影响施工进度，按照规范规定，后浇带至少需 42d 以后，才能用膨胀混凝土回填；其次施工工艺繁杂，后浇带贯穿于整个地下、地上结构，所到之处遇梁断梁，遇板断板，给施工带来很多不便，模板支撑、处理工艺繁琐，另外在后浇带留置期间，将不可避免地落进各种垃圾杂物和施工用水，钢筋将会出现锈蚀，在后浇带填充混凝土之前，需将两侧混凝土凿毛、清理，由于此处钢筋密布，凿毛、清理异常艰难，极其麻烦，处理不好往往会成为小渗漏和结构安全的隐患。过去，大体积混凝土施工时，一般采取分层浇筑或铺装冷却水管或加冰等降温措施，施工工艺复杂，影响工程进度。采用补偿收缩混凝土超长结构连续施工技术，取消防止混凝土收缩而留置的后浇带，连续浇筑混凝土，可以避免这些问题。

采用补偿收缩混凝土超长钢筋混凝土结构连续施工和大体积混凝土裂渗控制技术的经济效益更多地体现在缩短工期、提高工程质量和简化施工工艺方面，直接节约的费用是降水费用和止水带的费用。

4 结语

混凝土膨胀剂和补偿收缩混凝土已发展成为一个新的专业学科，中国土木学会混凝土外加剂专业委员会分别在 1994 年、1998 年和 2002 年召开三届《全国混凝土膨胀剂学术交流会》，出版三部论文集。2002 年建设部修订了《混凝土外加剂应用技术规范》GBJ 50119-2003，2004 和 2005 年中国硅酸盐学会混凝土与水泥制品分会膨胀与自应力混凝土专业委员会在北京组织召开了两次技术交流会。这一系列科研工作，进一步完善了掺混凝土膨胀剂的补偿收缩混凝土的配合比设计、构造设计和施工注意事项，把我国补偿收缩混凝土的应用提高到一个新水平。

专题二 补偿收缩混凝土的
基 本 性 能

普通混凝土是用途极广的建筑材料，但是由于它的极限延伸率较低，在干缩、徐变、温度等作用下容易开裂，导致混凝土工程渗漏并引发钢筋锈蚀，影响构筑物的使用功能和寿命。国内外的研究表明，采用膨胀剂或膨胀水泥配制的补偿收缩混凝土，是解决混凝土材料裂渗问题的有效技术途径。这是因为补偿收缩混凝土在水化硬化过程中能够产生 0.2~0.7MPa 预压应力（即自应力），该应力能抵消或部分抵消由混凝土干缩、徐变、温度等引起的拉应力，从而提高混凝土工程的抗裂性能。另外，由于水化膨胀产物的填孔作用，使水泥石中的大孔变小，总孔隙率减小，从而改善了混凝土的孔结构，大幅度提高了混凝土的抗渗性能，因此配制补偿收缩混凝土的膨胀水泥在国外又称为"不透水水泥"。

补偿收缩混凝土是现代混凝土科学的一个重要分支，其性能独特，是解决高性能混凝土体积稳定性、提高混凝土耐久性的一个重要技术基础，对它的研究还有待进一步深入和完善。

1 膨胀剂

1.1 物理化学性能

混凝土膨胀剂是指其在混凝土拌制过程中与水泥、水拌合后经水化反应生成钙矾石[$3CaO \cdot Al_2O_3 \cdot 3CaSO_4 \cdot 32H_2O$]或氢氧化钙[$Ca(OH)_2$]，使混凝土产生体积膨胀的外加剂。混凝土膨胀剂主要用来配制膨胀混凝土（包括补偿收缩混凝土和自应力混凝土），补偿收缩混凝土具有补偿混凝土干缩和密实混凝土、提高混凝土抗渗性作用，在土木工程中主要用于防水和抗裂两个方面，现在使用较多的场合是配制高等级防水混凝土和适当延长伸缩缝或后浇带间距。表1是几种膨胀剂的主要矿物成分和基本物理化学性质，它们基本可以代表目前国内大多数品牌膨胀剂的矿物成分，其化学反应式见表2。

表1 膨胀剂的物理性质和化学成分

代表类型	主要矿物	其他矿物	化学成分（%）						
			Loss	SiO_2	Al_2O_3	Fe_2O_3	CaO	MgO	SO_3
UEA	$C_4A_3\bar{S}$, $CaSO_4$	$Al_2O_3 \cdot 2SiO_2$, $Al_2O_3, K_2SO_4 \cdot$	2.12	15.85	15.07	0.98	35.15	3.06	24.33
AEA	CA, $CaSO_4$	$Al_2(SO_4)_3 \cdot$ $4Al(OH)_3$	3.02	19.82	16.62	2.66	28.60	1.58	26.86
HCSA	$C_4A_3\bar{S}$, CaO, $CaSO_4$	—	1.19	4.50	12.31	1.37	50.60	2.08	27.50

表2 化学反应式

类型	化 学 反 应 式
UEA	主要反应：$C_4A_3\bar{S}+6Ca(OH)_2+8CaSO_4+90H_2O=3(3CaO \cdot Al_2O_3 \cdot 3CaSO_4 \cdot 32H_2O)$ 其他反应：$Al_2O_3 \cdot 2SiO_2+3Ca(OH)_2+3CaSO_4+26H_2O=3CaO \cdot Al_2O_3 \cdot 3CaSO_4 \cdot 32H_2O+C-S-H$ $Al_2O_3+3Ca(OH)_2+3CaSO_4+29H_2O=3CaO \cdot Al_2O_3 \cdot 3CaSO_4 \cdot 32H_2O$ $K_2SO_4 \cdot Al_2(SO_4)_3 \cdot 4Al(OH)_3+13Ca(OH)_2+5CaSO_4+78H_2O$ $=3(3CaO \cdot Al_2O_3 \cdot 3CaSO_4 \cdot 32H_2O)+2KOH$
AEA	主要反应：$3CA+3CaSO_4 \cdot 2H_2O+32H_2O=3CaO \cdot Al_2O_3 \cdot 3CaSO_4 \cdot 32H_2O+2(Al_2O_3 \cdot 3H_2O)$ 其他反应：$Al_2O_3 \cdot 2SiO_2+3Ca(OH)_2+3CaSO_4+26H_2O=3CaO \cdot Al_2O_3 \cdot 3CaSO_4 \cdot 32H_2O+C-S-H$ $Al_2O_3+3Ca(OH)_2+3CaSO_4+29H_2O=3CaO \cdot Al_2O_3 \cdot 3CaSO_4 \cdot 32H_2O$ $K_2SO_4 \cdot Al_2(SO_4)_3 \cdot 4Al(OH)_3+13Ca(OH)_2+5CaSO_4+78H_2O$ $=3(3CaO \cdot Al_2O_3 \cdot 3CaSO_4 \cdot 32H_2O)+2KOH$
HCSA	$C_4A_3\bar{S}+6CaO+8CaSO_4+96H_2O=3(3CaO \cdot Al_2O_3 \cdot 3CaSO_4 \cdot 32H_2O)$

1.2 风化性能

膨胀剂中的铝酸钙、硫铝酸钙或氧化钙矿物易于吸湿水化，但在贮存过程中，如果不直接与水接触，产品性能不会降低。在具有通风条件的贮库内存放 6 个月包装良好的 UEA、HCSA，重新取样进行试验，膨胀性能均无明显降低。但是膨胀剂吸水受

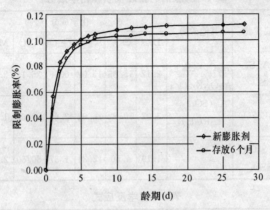

图 1　存放时间对膨胀性能的影响

潮后，其膨胀性能会有显著降低。图 1 和图 2 是按照 JC467－2001 规定的检验方法，对存放 6 个月的 HCSA 膨胀剂和吸水受

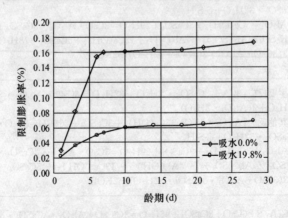

图 2　吸水受潮对膨胀性能的影响

潮的 HCSA 膨胀剂限制膨胀率的检验结果，膨胀剂掺量均为 10%。

2 混凝土硬化前的性质

2.1 膨胀剂掺量与新拌混凝土初始坍落度的关系

膨胀剂对新拌混凝土初始坍落度的影响，很大程度上决定于膨胀剂的细度。当膨胀剂的细度与水泥相差不大时，拌合需水量也基本相同，对初始坍落度基本没有影响。膨胀剂掺量与新拌混凝土初始坍落度的关系见图 3。

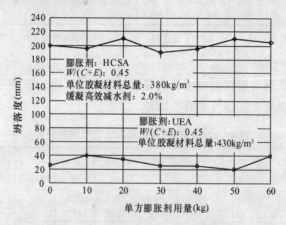

图 3　膨胀剂掺量对初始坍落度的影响

2.2 掺膨胀剂混凝土的坍落度损失

表 3 的试验结果说明，单独使用膨胀剂（即不掺化学外加剂）时，膨胀剂会导致新拌混凝土坍落度损失加剧。当膨胀剂与化学外加剂共同使用时，如果化学外加剂选择适当，情况会有很大改观，甚至感觉不到膨胀剂造成的差别。这里面涉及到水泥—膨胀剂—化学外加剂的适应性问题，当然也有配合比设计是否合理、初始坍落度是否足够大等因素；就一般情况而言，膨胀剂会加剧新拌混凝土坍落度的损失，因此使用时要注意选择合适的化学外加剂与之匹配。

表 3 膨胀剂对新拌混凝土坍落度损失的影响

膨胀剂，掺量（%）	混凝土配合比（kg/m³）							坍落度（mm）	
	C	E	FA	S	G	W	AE	0	60min
UEA，0	380	0	—	654	1076	198		150	80
UEA，12	334	46	—	654	1076	198		150	40
UEA，0	376	0	56	696	1076	195	13.00ᵃ	195	175
UEA，10	338	38	56	696	1076	195	13.00ᵃ	185	170
AEA，10	338	38	56	696	1076	195	13.00ᵃ	180	160
HCSA，0	380	0	—	774	1068	205	—	210	170
HCSA，10	340	40	—	774	1068	205	—	200	150
HCSA，0	380	0	—	774	1068	170	7.60ᵇ	200	190
HCSA，10	340	40	—	774	1068	170	7.60ᵇ	205	195

注：水泥 P.O42.5。a：SFP-Ⅰ泵送剂，b：BMRH 缓凝高效减水剂。

2.3 含气量

膨胀剂对新拌混凝土含气量影响见表 4。掺加膨胀剂，能够使新拌混凝土的含气量有所增加。

表 4 掺膨胀剂对新拌混凝土含气量的影响

膨胀剂，掺量（%）	混凝土配合比（kg/m³）						含气量（绝对值%）
	C	E	S	G	W	BMRH	
UEA，0	380	0	654	1076	213	—	0.85
UEA，12	334	46	654	1076	213	—	1.92
HCSA，0	380	0	774	1068	205	—	1.2
HCSA，10	340	40	774	1068	205	—	2.0
HCSA，0	380	0	774	1068	170	7.60	2.0
HCSA，8	350	30	774	1068	170	7.60	3.5

2.4 拌合物泌水性

表 5 的结果表明，掺膨胀剂使混凝土的泌水率略有减少。

表 5 掺膨胀剂对新拌混凝土泌水性的影响

膨胀剂，掺量（%）	混凝土配合比（kg/m³）					泌水率（%）
	C	E	S	G	W	
UEA，0	380	0	654	1076	213	7.26
UEA，12	334	46	654	1076	213	6.88

膨胀剂，掺量（%）	混凝土配合比（kg/m³）					泌水率（%）
	C	E	S	G	W	
HCSA，0	380	0	774	1068	205	11.20
HCSA，10	340	40	774	1068	205	8.80

注：水泥 P.O42.5。

2.5 凝结时间

膨胀剂对混凝土凝结时间的影响见表 6，无论掺加何种膨胀剂，都会使混凝土凝结时间提前，膨胀剂掺量越大，凝结时间越快，掺与不掺减水剂都有相同的结果。

表 6　膨胀剂对混凝土凝结时间的影响

膨胀剂，掺量（%）	混凝土配合比（kg/m³）							初始坍落度（mm）	凝结时间（min）	
	C	E	FA	S	G	W	UNF		初凝	终凝
UEA，0	376	0	56	649	1070	221	3.76	195	387	630
UEA，8	346	30	56	649	1070	221	3.76	190	370	590
UEA，10	338	38	56	649	1070	221	3.76	185	330	490
UEA，12	331	45	56	649	1070	221	3.76	180	300	452
UEA，14	323	53	56	649	1070	221	3.76	170	290	430
UEA，15	320	56	56	649	1070	221	3.76	160	260	385
AEA，10	338	38	56	649	1070	221	3.76	180	330	430
UEA，0	380	0		654	1076	213	—	160	387	575
UEA，12	334	46		654	1076	213	—	155	315	465
HCSA，0	380	0	—	774	1068	205	—	210	455	630
HCSA，10	340	40	—	774	1068	205	—	200	440	619

注：水泥 P.O42.5。

3　混凝土硬化后的性质

3.1　膨胀性质

3.1.1　膨胀剂掺量的影响

表 7 是掺三种膨胀剂混凝土的膨胀性能，在水胶比、胶凝材

料总量等条件相同的情况下，随着膨胀剂掺量的增加，混凝土的膨胀率增大。

表7　膨胀剂掺量与膨胀性能的关系

膨胀剂	掺量(%)	水胶比	自由膨胀率（%）				限制膨胀率（%）			
			水中		$RH=(60\pm5)\%$		水中		$RH=(60\pm5)\%$	
			7d	14d	28d	180d	7d	14d	28d	180d
UEA	0	0.54	0.0060	0.0071	−0.0050	−0.0283	0.0057	0.0063	−0.0050	−0.0142
	8		0.0358	0.0415	0.0126	−0.0078	0.0152	0.0182	−0.0016	−0.0074
	12		0.0450	0.0575	0.0182	0.0131	0.0262	0.0285	0.0067	−0.0044
	14		0.0537	0.0612	0.0233	0.01780	0.0378	0.0385	0.0097	−0.0033
AEA	0	0.54	0.0100	0.0116	−0.0060	−0.0256	0.0067	0.0050	−0.0060	−0.0189
	8		0.0433	0.0450	0.0110	−0.0098	0.0200	0.0210	−0.0015	−0.0082
	10		0.0617	0.0650	0.0220	−0.0060	0.0233	0.0233	0.0058	−0.0043
	12		0.0833	0.0843	0.0321	0.0120	0.0250	0.0276	0.0128	−0.0034
HCSA	0	0.45	0.0017	0.0040	−0.0245	−0.0453	0.0012	0.0016	−0.0163	−0.0234
	5		0.0122	0.0200	−0.0030	−0.0256	0.0144	0.0160	0.0046	−0.0062
	8		0.0172	0.0233	−0.0013	−0.0231	0.0177	0.0242	0.0099	−0.0051
	10		0.0870	0.1072	0.1018	0.0748	0.0483	0.0538	0.0416	0.0299
	13		0.1100	0.1444	0.1314	0.1220	0.0509	0.0700	0.0610	0.0410
	16		0.4386	0.5343	0.5266	0.5051	0.0968	0.1099	0.0889	0.0625

注：水泥 P. O42.5，胶凝材料总量 380kg/m³，限制膨胀率试验的配筋率 $\mu=0.79\%$。

3.1.2　水胶比的影响

水胶比与膨胀之间的关系比较复杂，因为水胶比不仅是影响膨胀剂水化过程的一个因素，而且也是影响强度发展的重要因素，而强度发展又与膨胀的发展密切相关，所以水胶比对膨胀的影响不像掺量那样有规律，图4的结果表明，在所述试验条件下（水泥 P. O42.5，胶凝材料总量 380kg/m³，配筋率 $\mu=0.79\%$），掺 UEA 膨胀剂的混凝土，膨胀率最高的水胶比是 0.45，高于 0.45 时膨胀率降低；掺 HCSA 膨胀剂的混凝土，水胶比低于 0.4 时，膨胀率降低，水胶比为 0.45 时，有最大的膨胀率，水胶比太大，膨胀率也不高。

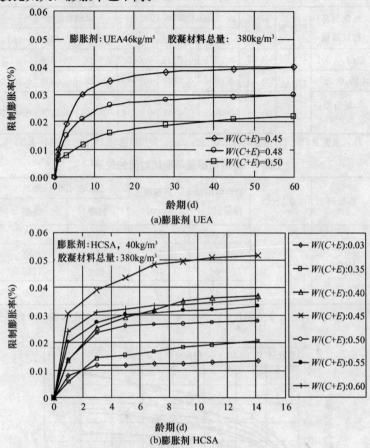

图 4　水胶比与限制膨胀率的关系

3.1.3　外加剂的影响

外加剂对混凝土膨胀性能有比较明显的影响，膨胀剂和外加剂品种不同，其影响结果也不相同。表 8 的试验结果说明，掺加外加剂会降低 UEA 混凝土的膨胀率，图 5 和图 6 的结果则表明适量的减水剂和早强剂能够促进 HCSA 混凝土的有效膨胀，表 9 和图 7 的结果表明，凝结时间延长会使膨胀率降低。

表8 外加剂与膨胀率的关系

外加剂品种及掺量	膨胀剂	水胶比	自由膨胀率（%）			限制膨胀率（%）		
			3d	7d	14d	3d	7d	14d
空白,0.0%	UEA,12%	0.52	0.0375	0.0586	0.0629	0.0190	0.0319	0.0320
木钙,0.25%		0.48	0.0292	0.0738	0.0745	0.0158	0.0300	0.0300
70复合型,2.0%		0.45	0.0192	0.0242	0.0333	0.0122	0.0172	0.0172

注：水泥 P.O42.5，胶凝材料总量 380kg/m^3，限制膨胀率试验的配筋率 $\mu=0.79\%$。

表9 缓凝剂掺量与凝结时间的关系

膨胀剂	水胶比	葡萄糖酸钠掺量（%）	坍落度（mm）	凝结时间（min）	
				初凝	终凝
HCSA	0.45	0.00	25	455	660
		0.06	45	740	920
		0.09	40	930	1115
		0.12	55	1114	1369

注：水泥 P.O42.5，胶凝材料总量 380kg/m^3，限制膨胀率试验的配筋率 $\mu=0.79\%$。

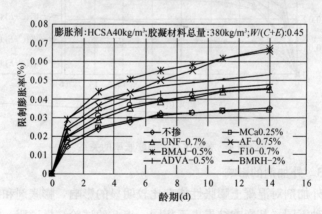

图5 减水剂与限制膨胀率的关系

3.1.4 掺合料的影响

掺合料与膨胀率的关系见表 10 和图 8，试验结果表明，随

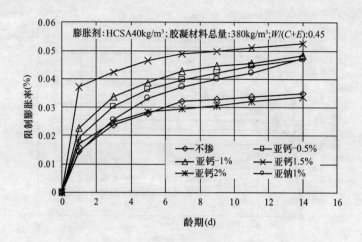

图 6　早强剂与限制膨胀率的关系

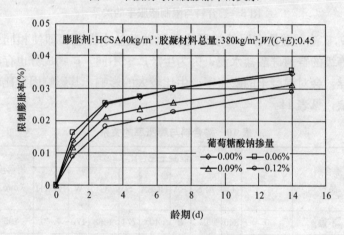

图 7　缓凝剂掺量与限制膨胀率的关系

着矿渣粉掺量的增加，限制膨胀率降低，掺 20％粉煤灰能够提高早期膨胀率，对后期膨胀率影响不大，粉煤灰掺量为 40％时，膨胀率增加比较明显。

3.1.5　水泥品种的影响

膨胀剂与不同的水泥配合使用，其膨胀率也不同，结果见

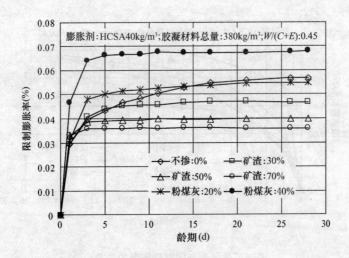

图 8　掺合料与限制膨胀率的关系

图 9,矿渣硅酸盐水泥的效果比普通硅酸盐水泥差,即使相同强度等级的普通硅酸盐水泥,因为生产厂家不同,矿物成分也存在差异,会对混凝土的膨胀率产生比较大的影响,其影响因素比较复杂,见表 11。

表 10　掺合料与膨胀率的关系

掺合料 品种	掺合料 掺量 （%）	混凝土配合比（kg/m³）								坍落度 （mm）
		C	BFS	FA	HCSA	S	G	W	BMRH	
不掺	0	340	0	0	40	774	1068	170	7.60	205
矿渣粉 （比表面积 400m²/kg）	30	266	114	0	40	774	1068	170	7.60	230
	50	150	190	0	40	774	1068	170	7.22	220
	70	74	266	0	40	774	1068	170	6.54	205
粉煤灰 （二级）	20	264	0	76	40	774	1068	170	6.84	225
	40	188	0	152	40	774	1068	170	6.08	220

注：水泥 P.O42.5,限制膨胀率试验的配筋率 $\mu = 0.79\%$。

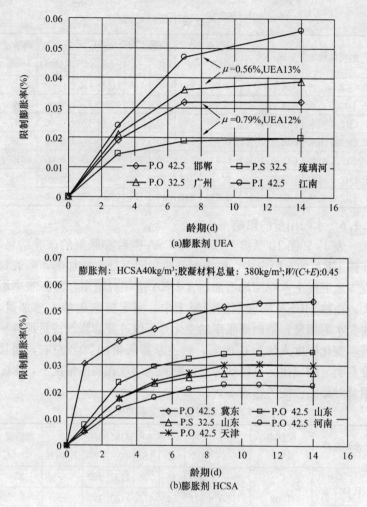

图 9　水泥品种与限制膨胀率的关系

表 11　水泥品种与膨胀率的关系

水泥品种	膨胀剂	配筋率	混凝土配合比（kg/m³）						坍落度
		（%）	C	E	S	G	W	BMRH	（mm）
P.O42.5 邯郸	UEA,12%	0.79	334	46	654	1076	198	—	80
P.S32.5 琉璃河	UEA,12%	0.79	334	46	654	1076	198	—	80

水泥品种	膨胀剂	配筋率（%）	混凝土配合比（kg/m³）						坍落度（mm）
			C	E	S	G	W	BMRH	
P. O32.5 广州	UEA,13%	0.56	260	40	768	1182	150	—	60
P. Ⅰ 42.5 江南	UEA,13%	0.56	260	40	768	1182	150	—	60
P. O42.5 冀东	HCSA,10%	0.79	340	40	774	1068	170	7.60	205
P. O42.5 山东	HCSA,10%	0.79	340	40	774	1068	170	8.40	190
P. S32.5 山东	HCSA,10%	0.79	340	40	774	1068	170	8.00	195
P. O42.5 河南	HCSA,10%	0.79	340	40	774	1068	170	6.70	215
P. O42.5 天津	HCSA,10%	0.79	340	40	774	1068	170	6.80	220

3.1.6 水泥用量的影响

表 12 和图 10 是掺 UEA 和 HCSA 两种膨胀剂的试验结果，在掺 UEA 的混凝土中，膨胀剂是按相同百分率掺加的，随着每立方米混凝土水泥用量增加，含 UEA 量相对增多，其膨胀率增大；在掺 HCSA 膨胀剂的混凝土中，固定膨胀剂单方掺加量，改变水泥用量，限制膨胀率的变化并不像改变膨胀剂掺量那样显著，变化幅度大致为 0.01%，约占总膨胀量的 20% 左右，而且没有明显的规律，可以认为单位膨胀剂用量相同的情况下，水泥用量对膨胀性能的影响不大。

表 12 水泥用量与膨胀率的关系

水泥品种	配筋率（%）	膨胀剂	混凝土配合比（kg/m³）						坍落度（mm）
			C	E	S	G	W	BMRH	
P. O42.5（邯郸）	1.08	UEA	304	46	736	1132	182	—	35
			348	52	678	1130	192	—	55
			391	59	581	1180	189	—	40
P. O42.5（冀东）	0.79	HCSA	250	40	804	1109	175	4.07	180
			300	40	790	1090	170	5.40	230
			340	40	764	1055	170	7.50	205
			380	40	760	1048	165	6.42	240
			425	40	747	1031	165	7.55	240
			475	40	749	1033	165	8.20	220

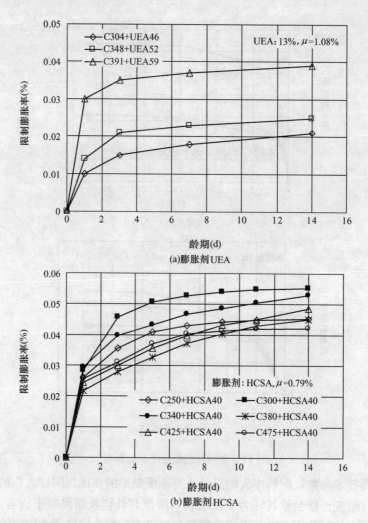

图 10　水泥用量与膨胀率的关系

3.1.7　限制程度的影响

对膨胀混凝土进行限制是获得有效膨胀的必要条件，配合比相同的混凝土，随着限制程度增大，混凝土的膨胀率降低，试验结果见图 11。

从变形的角度考虑，限制膨胀率是补偿混凝土干燥收缩的主

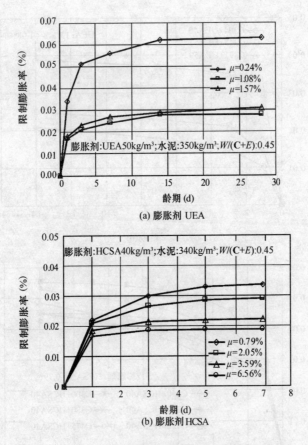

图 11　限制程度对膨胀率的影响

要技术参数，配筋率大的混凝土与小配筋率的相比，同样大小的收缩变形就会使其转为受拉状态，所以对补偿收缩混凝土而言，较小的配筋率可以获得较大的限制膨胀率，发生同样大小的收缩时，可以保证混凝土仍然处于受压状态，对抵御混凝土收缩开裂比较有利。

图 12 是配筋形式与膨胀率的关系，从试验结果可以看出，在平板中，较低的配筋率方向可以获得较大的膨胀，相同配筋率的情况下，膨胀率基本相同，膨胀率并不因垂直方向配筋的增加

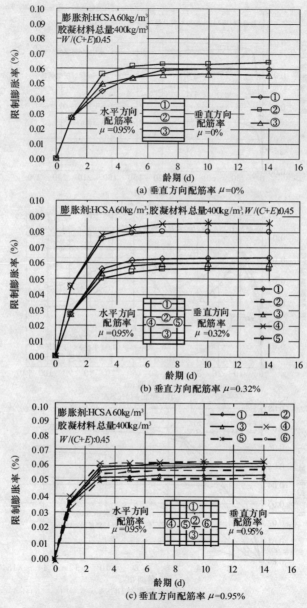

图 12　配筋形式与膨胀率的关系

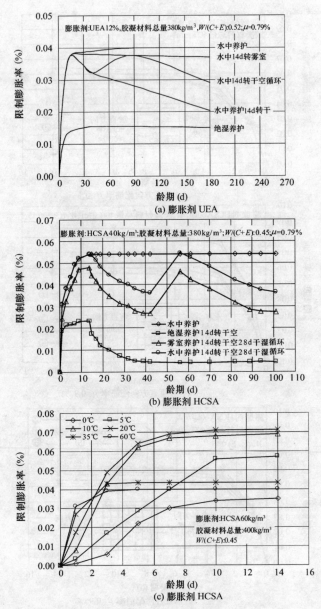

(a) 膨胀剂 UEA

(b) 膨胀剂 HCSA

(c) 膨胀剂 HCSA

图 13　养护条件对膨胀率的影响

而有大的变化。

3.1.8　养护条件的影响

与普通混凝土相比，补偿收缩混凝土更需要充分的水养护，因为水分是其产生膨胀的必要因素，从图 13 的（a）和（b）试验结果可以看出，长期在水中养护的混凝土能够获得最大的膨胀。膨胀混凝土转入干空（$RH=60\%\pm5\%$）中养护时，也发生收缩，但是再回水养护，又能大致恢复以前的膨胀。图 13 的（c）是不同养护温度对掺 HCSA 混凝土限制膨胀率的影响情况，10～20℃养护具有最大的膨胀，养护温度高时，膨胀快，但总膨胀量会降低。

3.1.9　轻集料混凝土的限制膨胀

表 13 是不同种类轻集料的性能。图 14 是混凝土限制膨胀率试验结果，从试验结果可以看出，吸水率高的集料膨胀率大，限制膨胀率与吸水率成正比，这是因为在膨胀剂水化过程中，陶粒中吸收的水缓慢释放出来，从内部提供养护用水，膨胀能也得以充分发挥。

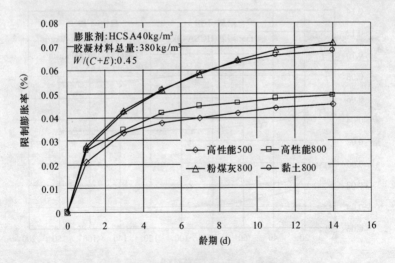

图 14　轻集料混凝土的限制膨胀率

表 13　轻集料的基本性能

性能指标		轻集料类型			
		高性能 800	高性能 500	粉煤灰 800	黏土 800
吸水率（%）	1h	2.27	1.81	4.25	6.25
	24h	4.01	3.33	7.00	8.50
筒压强度（MPa）		18.2	5.7	9.3	5.6
堆积密度（kg/m³）		815	507	780	780
表观密度（kg/m³）		1336	843	1386	1364
颗粒形状		碎石型	碎石型	球形	椭球形
成　分		火山岩烧结	火山岩烧结	粉煤灰烧结	黏土烧结

3.2　干燥收缩

与普通混凝土一样，补偿收缩混凝土在空气中同样会发生干燥收缩。影响其干燥收缩的因素也与普通混凝土大致相同，除了相对湿度这个外部因素，水胶比是比较重要的内在因素。相同条

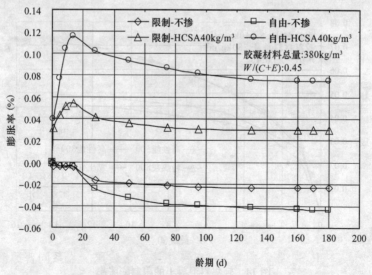

图 15　HCSA 混凝土的干燥收缩

件下，补偿收缩混凝土与普通混凝土的干燥收缩落差大致相同（图15），图16是水中养护14d的限制膨胀试件置于干空环境养护时的收缩情况，可以发现随着水胶比降低，补偿收缩混凝土的干燥收缩落差有减小的趋势。

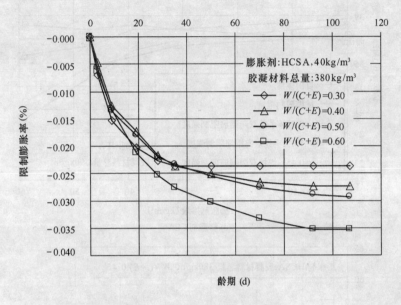

图16 水胶比干燥收缩的关系

3.3 强度性质

3.3.1 膨胀剂掺量以及限制情况与抗压强度的关系

膨胀混凝土的强度分为自由状态和限制状态两种强度。在图17的条件下，单位膨胀剂用量小于40kg/m³时，膨胀混凝土的自由强度与普通混凝土没有太大的差别，掺量大于40kg/m³后，自由强度显著下降；而在限制条件下，一定的膨胀能够使混凝土结构更加密实，从而提高强度，提高的情况视限制程度而异。

3.3.2 水胶比与抗压强度的关系

掺HCSA膨胀剂混凝土抗压强度与水胶比的关系同普通混凝土一样，随着水胶比增大，抗压强度降低，其结果见图18。

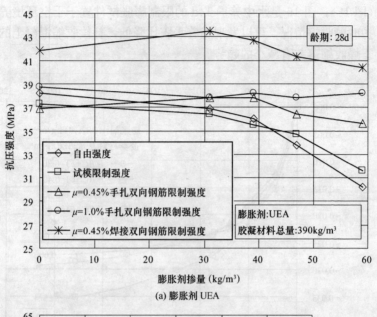

(a) 膨胀剂 UEA

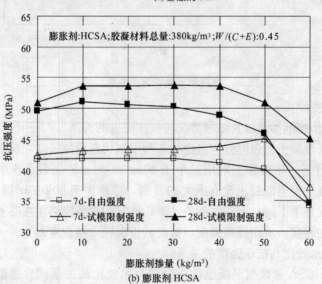

(b) 膨胀剂 HCSA

图 17　膨胀剂掺量与抗压强度的关系

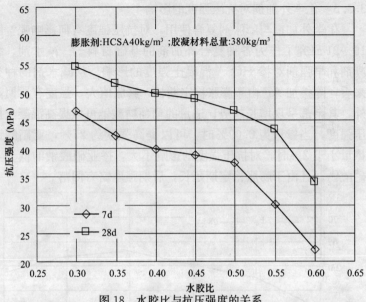

图 18　水胶比与抗压强度的关系

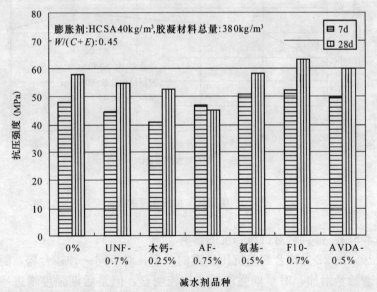

图 19　减水剂与抗压强度的关系

3.3.3 化学外加剂对抗压强度的影响

化学外加剂与膨胀剂复合使用，对抗压强度有何影响呢？图19～21研究了作为各种复合外加剂的基础材料——减水剂、缓凝剂和早强剂对掺 HCSA 混凝土强度的影响。从减水剂的种类来看，除掺加 AF 由于膨胀稳定期长，膨胀值大，强度有所回落外，其余都呈现增长趋势；适量的葡萄糖酸钠可以提高混凝土抗压强度，当掺量为 0.09% 时，可以提高强度约 25%，亚硝酸钙掺量小于 2% 时，对抗压强度的影响不大，掺亚硝酸钠的低于亚硝酸钙，且由于膨胀稳定期延长，后期强度略有回落。

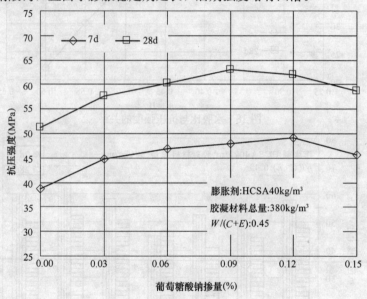

图 20　缓凝剂与抗压强度的关系

3.3.4 掺合料对抗压强度的影响

图 22 是掺合料与抗压强度的关系，对于同一种掺合料，随着掺量增加，对早期强度影响比较明显，但是后期强度增进率提高。

94

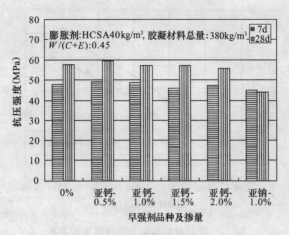

图 21　早强剂与抗压强度的关系

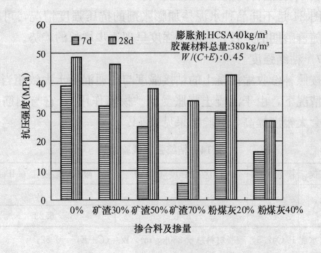

图 22　掺合料对抗压强度的影响

3.3.5　胶凝材料总量与抗压强度的关系

胶凝材料用量与抗压强度的关系见图 23，其配合比见表 12。结果显示，随着水泥用量增加，水胶比降低，抗压强度提高，基本呈线性关系。

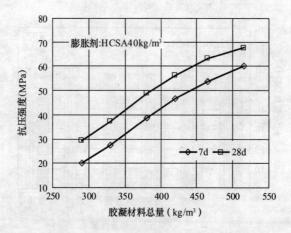

图 23 胶凝材料总量与抗压强度的关系

3.3.6 水泥品种对抗压强度的影响

图 24 是不同品种水泥掺加膨胀剂的抗压强度情况，可以看出，随着龄期的延长，混凝土强度呈现逐步增长的趋势。

3.3.7 粘结强度

按照补偿收缩混凝土的粘接强度与普通混凝土大致相当，强限制情况下，由于混凝土膨胀受到"模箍作用"，它与钢筋的粘结力会大幅度提高，试验结果见表 14。

表 14 粘结强度试验结果

膨胀剂	掺量（%）	自由粘结强度（MPa）	限制粘结强度（MPa）
UEA	0	4.48	4.70
	12	5.42	6.23

注：水泥 P.O42.5，胶凝材料总量 380kg/m³，$W/(C+E)$ =0.52。

3.3.8 其他强度

表 15 列出了不同强度等级补偿收缩混凝土的抗压强度（f_{cu}）、抗折强度（f_f）、轴心抗压强度（f_{cp}）、劈裂强度（f_{ts}）以及有关比值，可以看出，补偿收缩混凝土的这些强度性质与普通混凝土基本相同。

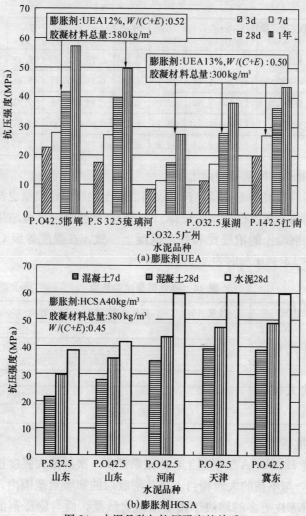

图 24　水泥品种与抗压强度的关系

表 15　补偿收缩混凝土的其他强度性能

强度等级	膨胀剂，掺量（%）	f_{cu} (MPa)	f_f (MPa)	f_{cp} (MPa)	f_{ts} (MPa)	f_{cp}/f_{cu}	f_{cu}/f_f	f_{cu}/f_{ts}	f_f/f_{ts}
C30	PNC，0	33.8	4.02	31.2	1.93	0.92	8.41	17.51	2.08
	13	36.4	4.49	32.6	2.36	0.90	8.11	15.42	1.90

强度等级	膨胀剂，掺量（%）	f_{cu} (MPa)	f_f (MPa)	f_{cp} (MPa)	f_{ts} (MPa)	f_{cp}/f_{cu}	f_{cu}/f_f	f_{cu}/f_{ts}	f_f/f_{ts}
C40	FEA，0	43.5	4.73	33.1	2.36	0.76	9.20	18.43	2.00
	13	46.3	5.48	36.1	2.55	0.78	8.45	18.16	2.15
C70	UEA，0	73.6	8.50	65.2	4.11	0.88	8.66	17.91	2.07
	10	72.6	9.31	58.2	4.18	0.80	7.80	17.37	2.23
	12	70.3	8.68	54.8	4.30	0.78	8.10	16.35	2.02

3.4 静弹性模量和泊松比

与普通混凝土一样，补偿收缩混凝土的静弹性模量也符合抗压强度高、弹性模量大的规律。表 16 是弹性模量试验结果。补偿收缩混凝土的泊松比和普通混凝土一致，在强度等级 C50 以内，掺 12%UEA 时为 0.215。

表 16　弹性模量试验结果

膨胀剂	掺量（%）	抗压强度（MPa）	弹性模量（×10⁴MPa）
UEA	0	43.3	3.35
	12	40.5	3.69
	15	32.0	2.96
	10	90.2	4.20
AEA	12	41.2	2.94
HCSA	10	52.5	3.77

3.5 抗冻性

掺 12%UEA 的混凝土，冻融循环 150 次的最大强度损失为 2.5%，与不掺的大致相当。在补偿收缩的膨胀量范围内，混凝土的抗冻性更多的取决于密实度或含气量，而与膨胀剂的关系不大。

3.6 抗渗性

掺加膨胀剂后，混凝土抗渗能力明显增加，比普通混凝土提高 1～2 倍，这是补偿收缩混凝土的重要特点，也是它可以作为抗裂防渗的结构材料原因，试验结果见表 17。

表 17 混凝土抗渗性试验结果

膨胀剂	水胶比	掺量（%）	胶凝材料总量（kg/m³）	恒压时间（h）				渗透高度（mm）
				1.5MPa	2.0MPa	2.5MPa	3.0MPa	
UEA	0.52	0	380	8	0	0	0	100
		10	400	8	13	11	11	20
		12	380	8	8	8	8	7
HCSA	0.45	0	380	8	8	8	8	135
		10	380	8	8	8	8	35

注：水泥 P.O42.5。

3.7 钢筋锈蚀

将 $\phi16\times50mm$ 的光面钢筋预埋入 UEA 膨胀混凝土内，养护至 28d、60d 和 180d，分别破型观察，钢筋无丝毫锈斑。分析表明，UEA 水泥浆体的 pH 值大于 12.5，不会锈蚀钢筋。

根据 GB 8076-1997 附录 B 规定的"钢筋锈蚀快速试验方法（新拌砂浆法）"，内掺 8％ HCSA 膨胀剂，试验配合比为水泥 368g、HCSA32g、标准砂 800g、蒸馏水 200g，采用 PS-Ⅰ型恒电位（恒电流仪）进行试验，试验结果见图 25，属于无害特征曲线，表明掺膨胀剂后不会导致钢筋锈蚀。

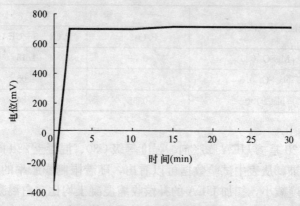

图 25 掺 HCSA 钢筋锈蚀试验

3.8　抗化学腐蚀性能

将养护 28d 后的混凝土试件分别放入 0.02N 的 H_2SO_4 水溶液和 0.05N 的 NaOH 水溶液中，定期测定其强度，与同龄期水中试件相对照。结果见表 18。酸碱溶液中的试件强度不但没有下降，而且都有增加。说明补偿收缩混凝土具有良好的耐酸碱腐蚀能力。

表 18　掺膨胀剂混凝土的耐酸碱侵蚀性

介　　　质	抗压强度（MPa）			
	28d	60d	90d	120d
水	53.7	61.5	60.0	60.5
0.02N H_2SO_4	53.7	66.0	61.7	62.4
0.05N NaOH	53.7	63.0	66.6	67.5

注：水泥 P.O42.5，胶凝材料总量 380kg/m³，水胶比 0.52，UEA 掺量 12%，集料最大粒径 10mm。

参照 GB 746 水泥抗硫酸盐侵蚀试验方法将膨胀剂掺入水泥，成型 1：2.5 胶砂试件，养护 14d 后置于硫酸盐侵蚀溶液中浸泡，测定 180d 的耐蚀系数 F_6，F_6 大于 0.8 即认为抗硫酸盐侵蚀性能合格。试验结果（表 19）表明，掺膨胀剂后，可以显著提高水泥的抗硫酸盐侵蚀能力。

表 19　掺膨胀砂浆的耐蚀系数

F_6 侵蚀介质及浓度（%）	耐　蚀　系　数	
	P.O42.5	P.O42.5＋UEA12%
$MgSO_4$ 0.5	0.69	1.15
Na_2SO_4 0.5	0.58	1.05
NaCl 1.0	0.68	0.84

3.9　碳化

表 20 是掺 UEA 膨胀剂、强度等级 C30、混凝土 28d 的碳化试验结果，从表中试验数据可以看出，随着限制膨胀率的提高，碳化速度减小，掺加 UEA 的补偿收缩混凝土均比空白混凝土抗碳化能力强。表明 UEA 补偿收缩混凝土的耐久性优于普通混凝

土。另外，掺加粉煤灰，碳化速度有所加快，但同样遵循限制膨胀率与碳化速度之间的规律。

表 20　掺膨胀剂混凝土的碳化性能

UEA（%）	粉煤灰 （kg/m³）	水中 7d 限制 膨胀率（%）	碳化深度 （mm）	碳化速度 系数
0	0	0.0037	6.5	1.29
12	0	0.0173	5.1	0.97
12	0	0.0240	2.2	0.42
12	56	0.0210	4.9	0.93

3.10　水化热和混凝土温升试验

按照 GB 2022-80 标准方法测定掺 UEA 膨胀剂的水泥水化热，结果见表 21，可以看出掺加 UEA 膨胀剂的水泥水化热略有降低。在混凝土施工中，水化热导致的温升与散热同步进行，混凝土内部温度高低更多地取决于矿物的水化放热速率，由于膨胀剂的水化速率一般比水泥快，所以在混凝土的温升试验中掺膨胀剂时混凝土温度反而高，图 26 的结果反映了这种情况，因此在应用过程中要注意控制混凝土温度，试验表明，掺加活性矿物掺合料是行之有效的方法，在图 26 的试验中，掺加比表面积 450m²/kg 矿渣粉的试验组，每立方米混凝土的胶凝材料为水泥 226kg/m³，HCSA 膨胀剂 40kg/m³，矿渣粉 114kg/m³，总量为 380kg/m³，可以发现混凝土的温度显著降低。

表 21　掺 UEA 膨胀剂水泥的水化热

水泥品种	水泥组成（%）		水化热（J/g）	
	水泥	UEA	3d	7d
P. O42.5	100	0	297	322
	88	12	276	293
P. S32.5	100	0	205	247
	88	12	176	209

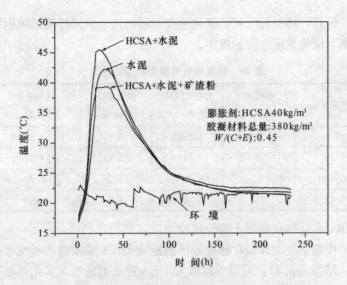

图 26　混凝土温升试验结果

3.11　长期性能

补偿收缩混凝土的长期性能见图 27 和图 28，可以看出，掺 12%UEA 的混凝土，膨胀主要发生在 14d 以前，14d 至 1 年仍有微

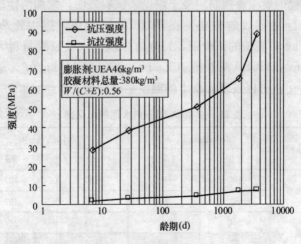

图 27　长期膨胀性能

弱膨胀，1年以后变化不大，说明膨胀安全稳定。抗压强度和抗拉强度的发展规律与普通混凝土一样，随龄期延长而稳定增长。

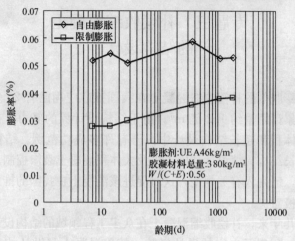

图 28　长期强度性能

4　结语

　　膨胀水泥发明至今已有 70 年的历史，补偿收缩混凝土的应用历史也有 50 多年，从其诞生之日，其定位就是一种抗裂防渗的特种混凝土，并形成了一套较为完善的理论体系。工程应用实践表明，补偿收缩混凝土具有优异的抗裂防渗性能，是理想的混凝土结构自防水材料，地下建筑物使用补偿收缩混凝土，完全可以取消外防水，不但缩短了建设工期，而且节约了工程造价，防水年限也与建筑物等同。近年来混凝土技术发展迅速，特别是高性能混凝土的应用日趋广泛，对补偿收缩混凝土提出了更高的要求，迫切需要补偿收缩理论有新突破，指导材料、设计、施工和检验方法有所创新。可以预见在相当长的一个时期内，混凝土技术领域还不可能出现替代补偿收缩混凝土的新技术，因此旨在提高性能、减免裂缝的补偿收缩混凝土具有广阔的发展前景，但需要与时俱进，不断创新。

专题三　补偿收缩混凝土
的结构设计

掺膨胀剂的补偿收缩混凝土在我国推广应用已有 20 多年的历史，累计用量约 1.2 亿 m³。由于结构设计界的努力，在大面积、大体积和超长结构设计中，已有许多成功范例。结构自防水、超长结构无缝设计和施工以及大体积混凝土裂渗控制三大应用技术，已列入有关规范，这对促进该混凝土在我国的推广应用具有积极意义。

十几年来，补偿收缩混凝土在众多工程领域的结构设计中得到应用，积累了丰富的设计经验，随着混凝土与设计技术的进步，还会不断提高与完善。

1　膨胀剂的作用和适用范围

目前，我国的补偿收缩混凝土主要用于结构自防水、填充性膨胀混凝土工程、延长建筑物伸缩缝或后浇带间距的连续浇筑的钢筋混凝土工程以及大体积混凝土工程。根据现行国家标准《混凝土外加剂应用技术规范》GB 50119，掺膨胀剂的补偿收缩混凝土，水化产物是钙矾石的，不得用于长期处于环境温度 80℃以上的的工程。这是因为混凝土需要约束才能产生预压应力，以补偿混凝土硬化过程中产生的收缩拉应力，达到减免结构有害裂缝的目的。长期在 80℃ 以上的工作环境下，膨胀结晶体钙矾石会受热分解，导致强度下降，故不适用该混凝土。

补偿收缩混凝土（Shrinkage Compensated Concrete）在水化硬化过程中生成膨胀结晶钙矾石（$C_3A \cdot 3CaSO_4 \cdot 32H_2O$）或氢氧化钙〔$Ca(OH)_2$〕，使混凝土产生适度体积膨胀，在钢筋或邻位约束下产生预压应力 σ_c：

$$\sigma_C = \mu \cdot E_S \cdot \varepsilon_2$$

式中　μ——配筋率；

　　　E_S——钢筋弹性模量；

　　　ε_2——钢筋的伸长率。

根据美国 ACI223 委员会规定，在混凝土中能够建立 $\sigma_C = 0.2 \sim 0.7$MPa 的称之为补偿收缩混凝土。

补偿收缩混凝土的胀缩特征曲线见图 1。在湿养期间，补偿收缩混凝土产生膨胀，在干空中它同样会产生干缩，但它的收缩落差比普通混凝土要低 30％ 左右，一般小于极限拉伸变形 S_P 不会开裂；如果大于 S_P 则会开裂。由于补偿收缩混凝土干缩开始时间往后推迟，此期间混凝土的抗拉强度得到长足的增长，已能够抵抗混凝土干缩所产生的拉应力，故可减免有害裂缝的产生。这是补偿收缩混凝土的基本抗裂原理。

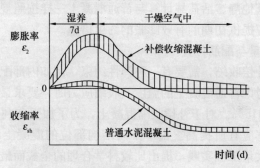

图 1　补偿收缩混凝土与普通混凝土的变形特性

补偿收缩混凝土硬化过程中生成的膨胀结晶具有填充、堵塞毛细孔缝的作用，使大孔变小孔，总空隙率降低，因此，补偿收缩混凝土的抗渗性能优于普通混凝土，如 C30 补偿收缩混凝土，抗渗等级可达 P20 以上。用膨胀剂配制的补偿收缩混凝土是优良的抗裂防渗混凝土。

补偿收缩混凝土的膨胀效能主要在湿养 14d 前发挥，后期膨胀微小，后期强度不仅不会下降，而且有明显提高。由于混凝土结构的收缩裂缝大多出现在 14d 以前。因此，补偿收缩混凝土主要应用于减免收缩裂缝的混凝土结构工程。至于荷载裂缝和不均匀沉降裂缝，则应由结构设计解决。补偿收缩混凝土最适用于温度和湿度变化较小的地下、水工、隧道和海工工程以及后浇带和回填槽工程，也适用于具有良好保温措施的房屋、厂房楼板和屋面结构层。

2 结构设计的一般原则

采用补偿收缩混凝土的钢筋混凝土结构设计，同样应遵循现行国家标准《混凝土结构设计规范》GB 50010。而且，十分清楚的是所采用的补偿收缩混凝土必须有足够大的膨胀率来补偿收缩变形，以尽量减少裂缝。因为膨胀与收缩最终将会基本上互相抵消，所以，对此过程产生的膨胀压应力无需在结构设计上作特别考虑。其他静、活荷载计算与普通混凝土一样按照规范要求去做，然而应提供初期的有效膨胀的约束措施。

2.1 配筋量与配筋位置

为了补偿收缩，需要有一种弹性约束，例如内部配筋所形成的约束。考虑普通混凝土的温度及收缩应力时，要求最小配筋率不低于 0.015%。对于补偿收缩混凝土，为了加强和利用约束膨胀，配筋率应有所提高。由于不同结构部位的混凝土收缩值不同，经过大量工程实践，提出比较科学合理的全截面最小配筋率要求，如表 1 所示。

表 1 不同结构部位的最小配筋率

结构部位	最小配筋率（%）	布筋方式	钢筋间距（mm）
底板	0.30	双层、双向	150～200
楼板、顶板	0.30	双层、双向	100～200
墙体、水平筋	0.40	双排	100～150

在结构设计中，配筋位置按设计要求决定，为了更好地约束膨胀，宜采用双层、双向布筋方式。经验表明，在结构板中不会

因膨胀而出现翘曲的问题。在同样含钢量下，采用细而密的配筋更有利于膨胀压应力的建立，尤其易裂的墙体，水平钢筋间距宜在100～150mm。

2.2 附加筋

墙体垂直裂缝多出现墙体的中部，这是由于墙体受到底板钢筋约束产生应力集中。经验表明，宜在墙体中部的 1000mm 范围内加密水平筋的间距，宜为 50～100mm，形成一道"暗梁"。另外，墙体与柱子连接部位，也容易出现垂直裂缝，这是由于墙与柱的配筋率相差较大，收缩应力不一致而产生的。相应的办法是使用 $\phi8～\phi10$mm、长 1500mm 的附加筋，插入柱内约 150mm，其余部分伸入墙内。增加量为原同向配筋率的 10%～15%。

梁两侧腰筋的间距不宜大于 200mm。对于结构开口部，结构截面变化处和结构复杂部位等，应增设附加筋，这对控制裂缝有利。

2.3 限制膨胀率的设定

补偿收缩混凝土的任务主要是补偿混凝土浇筑后 14d 内的自收缩、干燥收缩和冷缩，因这一阶段结构裂缝出现几率最大。结构进入使用阶段后，受到环境温度变化的变形，无论对普通混凝土还是对补偿收缩混凝土来说都是一样的，只能靠温度筋来解决。在实际工程中，钢筋混凝土结构的变形受到许多内在和环境因素的影响，很难准确计算出来。所以，目前国内外多采用经验值作为混凝土配合比设计的膨胀指标。限制膨胀率与配筋率有关。当结构构件的配筋率确定后，可从图 2 中估计出结构构件的膨胀值。图中表示了在相同的搅拌及养护条件下，用相同混凝土成型的构件和棱柱体试件的膨胀值与配筋率之间的关系，该图引用根据美国 Russell 发表的数据，可供参考。棱柱体的膨胀试验应按现行国家标准《混凝土外加剂应用技术规范》GB 50119 中附录 B "补偿收缩混凝土膨胀率及干缩率的测定方法"。

图 2 可用于根据预期要达到的结构构件膨胀值来设计与确定棱柱体试件应该具有的膨胀值。例如，有一混凝土板配筋率为

0.3%、预期收缩率为 0.025%，则所要求的收缩补偿亦应为 0.025%。查阅可知则要求受约束棱柱体的膨胀率为 0.03%。由图 2 可见，随着构件配筋率的增加，混凝土的膨胀量减少，为了使收缩得到比较完全的补偿，高配筋率的构件应具有更大的膨胀能力，其措施就是通过增加膨胀剂掺量使膨胀值增加。根据我国众多工程的实践经验，不同结构的限制膨胀率的设计取值可参照表 2。

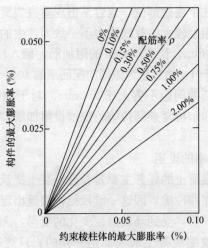

图 2 根据棱柱体试验数据估计构件的膨胀值

表 2 限制膨胀率的设计取值

适用结构部位	最小限制膨胀率（×10⁻⁴）	最大限制膨胀率（×10⁻⁴）
平板结构	1.5	3.0
梁、墙体结构	2.0	4.0
后浇带、膨胀加强带	2.5	5.0

2.4 膨胀剂掺量

补偿收缩混凝土的配合比必须满足结构设计所需要的强度、膨胀性能以及抗渗性、耐久性和施工工作性等要求。必须指出，限制膨胀率是补偿收缩混凝土的第一特性，而膨胀率与膨胀剂掺量直接有关，图 3 表示膨胀剂掺量与混凝土（C30～C40）膨胀和强度的大致关系。对于具体的工程，限制膨胀率和膨胀剂掺量，一般应通过试验确定，在不具备测定膨胀率的情况下，可参照表 3 取值。

表 3　单位膨胀剂最大和最小用量

适用混凝土	单位混凝土中膨胀剂含量（kg/m³）	
	最大	最小
补偿收缩混凝土	50	30
填充用膨胀混凝土	60	40

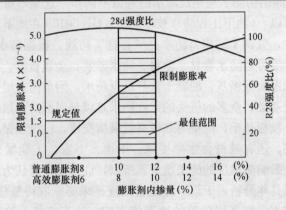

图 3　膨胀剂掺量与 ε_2、R 的关系

2.5　膨胀剂的选择

目前我国膨胀剂品牌近 10 个，绝大多数为硫铝酸钙类膨胀剂。历史较长、用量较大的有 UEA、ZY、AEA、PNC、FEA等。应该注意，防止采用假冒伪劣产品，对于重大工程，建议对厂家进行实地考察，随机抽取膨胀剂样品，达到《混凝土膨胀剂》JC476 标准才能择优选用。2000 年后，我国已生产高效型膨胀剂，标准最低掺量为 8％，普通型膨胀剂标准最高掺量为 12％。不同结构部位的混凝土限制膨胀率指标不同，所以，膨胀剂掺量也有所不同。

2.6 设计图纸的说明

为了与普通混凝土结构设计区分开来，按《混凝土外加剂应用技术规范》GB 50119 要求，应在设计图纸中说明哪些结构部位应采用掺膨胀剂的补偿收缩混凝土，并提出设计强度等级、抗渗等级及 14d 水中限制膨胀率。由于不同厂家膨胀剂的质量不同，可不标明膨胀剂掺量，由施工单位通过试验确定。

3 结构自防水设计

由于柔性防水层的寿命只有 10～20 年，而混凝土寿命为 50～100 年，即结构防水与建筑防水的寿命不同步，这是不可抗拒的规律。所以，《地下工程防水技术规范》GB 50108 在地下工程防水设计中，强调了结构自防水是"首选"防线。根据防水等级，附加防水层可选防水卷材、涂料、防水砂浆、金属板等。人们发现，例如厚底板箱基，混凝土自身足以防水，附加防水层是多余的；桩板基础，众多的桩头的柔性防水难以与底板防水层做到天衣无缝；筏板基础，地梁与底板高低纵横交错，也难以做好全封闭防水层。还有基材含水率要求、下雨、下雪、工期紧张等因素，都会影响防水层的施工质量。所以，许多设计者认为，应该具体情况具体分析，千篇一律地套用规范未必能取得最佳效果。在我国南方，如高层建筑的地下停车库、地下广场、地下通道等，大多采用结构自防水设计，不设柔性防水层。混凝土能否抗裂成为结构自防水的关键，也是抗渗的前提。首先要求地基要牢靠，不能产生不均匀沉降裂缝，然后是采用补偿收缩混凝土。

补偿收缩混凝土具有抗裂防渗的双重功能，这是与不掺膨胀剂的普通防水混凝土的最大区别。采用补偿收缩混凝土设计地下室空间结构或水工结构时，一般可用补偿收缩混凝土作结构自防水，即防水与承重合二为一，在迎水面可不作柔性防水，或者底板不做外防水；对于边墙由于易裂，可做一道外防水。对于特高要求的工程，应全包一道外防水。对于超长地下室，宜采用膨胀加强带取代后浇带的无缝设计，做成整体防水，耐久性更优。

根据《地下工程防水技术规范》GB 50108 和《混凝土外加剂应用技术规范》GB 50119 规定，补偿收缩混凝土和防水混凝土的水泥用量均不应小于 280kg/m³。近年来，我国高性能混凝土技术不断提高，细磨掺合料替代水泥率达 30％～50％，对规范的规定有所突破，基于工程实践和混凝土技术的进步，按胶凝材料总用量不得低于 300kg/m³ 控制比较合适。

4　无缝设计与无缝施工

按国家规范，在现浇整体式钢筋混凝土结构设计中，需每 30m 留一道伸缩缝，或采取留后浇带措施，带两侧设止水钢板，等混凝土收缩 40～50d 后，用补偿收缩混凝土填缝。由于普通混凝土存在收缩问题，这一设计规定是合理的。但后浇带施工麻烦，又延长工期，处理不好会留下渗水隐患。1990 年，北京市建筑设计院结构设计提出利用补偿收缩混凝土的补偿收缩作用，在超长结构中可否少设或不设后浇带的设想。此后，中国建筑材料科学研究院经过大量研究与施工实践，于 1993 年提出了 UEA 补偿收缩混凝土《超长钢筋混凝土结构无缝设计和施工方法》的专利技术（专利号 93117132.6）。

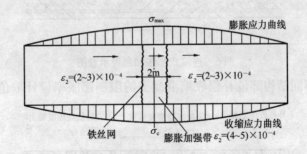

图 4　补偿收缩混凝土无缝设计原理图（立面）

所谓"无缝设计"是个相对概念，根据结构情况，可无缝或少缝，是专指释放收缩应力的伸缩缝或后浇缝，不是指也不包括沉降缝。补偿收缩混凝土无缝设计思路是"抗放兼备，以抗为主"。图4可表达这种无缝设计的原理。

超长结构收缩应力集于中部，为防裂而在此部位设后浇带。补偿收缩混凝土的膨胀加强带一般设在后浇带位置上。根据板的厚度，带宽为2～3m，带两侧设密孔铁丝网，并用立筋 $\phi16\sim\phi18@300$ 加固，目的是防止两侧混凝土流入带内。这样就可实现混凝土连续浇筑或称无缝施工。施工时，带外用小膨胀的补偿收缩混凝土，浇筑到加强带时，改用大膨胀混凝土，其强度等级比两侧高C5等级。浇筑到另一侧时，又改为浇筑小膨胀混凝土。如此循环下去，可连续浇筑 100～120m 超长结构。

在施工组织中，可根据现场情况确定采取整体连续浇筑或局部连续浇筑，这通过设立不同形式的膨胀加强带可以实现。图5为连续式膨胀加强带，图6为间歇式膨胀加强带，图7为后浇式膨胀加强带。对于超长墙体，考虑养护困难，环境温、湿度变化大，易收缩开裂，宜用后浇式加强带，分段浇筑14d后，再用大膨胀混凝土回填（见图8）。

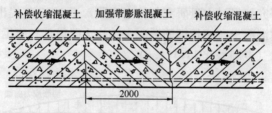

图5 连续式膨胀加强带示意图

不同结构部位补偿收缩混凝土的限制膨胀率设计取值见表

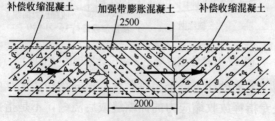

图6 间歇式膨胀加强带示意图

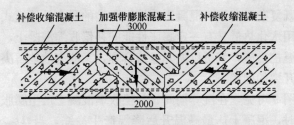

图 7　后浇式膨胀加强带示意图

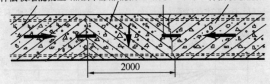

图 8　墙体后浇式膨胀加强带示意图

2，按照补偿收缩混凝土连续浇筑的结构长度和厚度，参照表 4 确定所设膨胀加强带的条数、构造形式和浇筑方式。

表 4　补偿收缩混凝土连续浇筑的结构长度

结构类别	结构长度 L（m）	结构厚度 H（m）	浇筑方式选择	构造形式
墙体	$L \leqslant 60$	—	连续浇筑	—
	$L > 60$	—	断续浇筑	后浇式膨胀加强带或后浇带
板	$L \leqslant 60$	—	连续浇筑	—
	$60 < L \leqslant 120$	$H \leqslant 1.5$	连续浇筑	连续式膨胀加强带
	$60 < L \leqslant 120$	$H > 1.5$	断续浇筑	后浇式、间歇式膨胀加强带或后浇带
	$L > 120$	—	断续浇筑	后浇式、间歇式膨胀加强带或后浇带

5　大体积钢筋混凝土结构设计

大体积混凝土结构因散热降温引起的冷缩比干缩更容易引起开裂，常规的控温措施，如使用冷集料和冷水，内部铺设冷却水管等，既复杂又费钱。混凝土冷缩和干缩的联合补偿模式（见图9），采用水化热低又有一定膨胀性能的补偿收缩混凝土，同时加以适当温控措施，就可以做到经济合理，又能有效地解决大体积混凝土开裂的问题。

从图9可见，在湿养期间，补偿收缩混凝土产生膨胀至 ε_{2m}，与此同时，混凝土达最高温升后降温产生冷缩，当（$\varepsilon_{2m}-S_2+\varepsilon_e$）$-S_T=0$ 或不超过极限拉伸值 S_K 时，就达到了补偿冷缩的目的。

对于大体积钢筋混凝土结构设计，通常可采用以下措施：

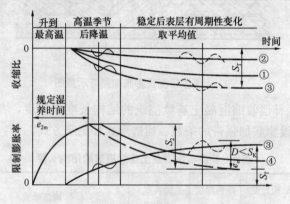

图 9　冷缩与干缩的联合补偿

（1）混凝土的设计强度等级不宜超过 C40，必要时以 60d 或 90d 抗压强度为设计强度等级；

（2）在混凝土中掺入细磨掺合料，以减少水泥用量和水化热；

（3）在混凝土中掺入缓凝高效减水剂，延缓水化热峰的出现时间与降低峰温；

（4）在混凝土中掺入膨胀剂，当产生膨胀率 $\varepsilon_2=0.01\%$ 时，在理论上可补偿温差 $\Delta T=\varepsilon_2/\alpha=10℃$，按规范，大体积普通混凝土的内外温差 $\Delta T=25℃$，采用上述三掺的补偿收缩混凝土时，可以适当放宽 ΔT 至 30℃，无需采用其他温降措施；

（5）保温保湿养护，控制混凝土降温速率小于 2～3℃/d。

对于超长的大体积混凝土底板，可以采用膨胀加强带和后浇带相结合的设计，每个板块面积控制在 3000～5000m³。后浇带回填要等混凝土降温稳定后才能进行。大体积补偿收缩混凝土的限制膨胀率设计以 0.015％～0.02％为宜。

6 结语

（1）补偿收缩混凝土的结构设计应遵照《混凝土结构设计规范》GB 50010，与普通混凝土的标志性区别是混凝土必须提供初期的有效膨胀（限制膨胀率）。

（2）适当的配筋率和配筋位置是约束膨胀的必要条件，同时，对于易裂部位，应配以附加筋。

（3）选择优质的膨胀剂和具有足够限制膨胀率的混凝土配合比，是补偿收缩混凝土工程质量的保证。

（4）补偿收缩混凝土是一种优质的抗裂防渗结构材料，最适用于结构自防水工程和大体积混凝土工程，一般可取消外防水。

（5）补偿收缩混凝土用于超长钢筋混凝土结构无缝设计和施工，是国内外首创技术，也是结构设计的技术进步。

（6）补偿收缩混凝土在结构设计的应用，其经济效益和社会效益显著，施工简化，成本降低，具有广泛与长远的意义。

专题四　混凝土干燥收缩开裂
评价及其试验方法

　　干燥收缩是混凝土材料的属性，也是影响混凝土耐久性的重要因素，干燥收缩导致的开裂问题是当前混凝土研究领域的一个热点。常用的开裂性研究试验方法有：美国密西根州立大学的 Parviz Soroushian 研究小组和圣约瑟州立大学的 Karri 提出的 2 种平板式限制收缩开裂试验方法和麻省理工学院的 Roy 提出的圆环法，这 2 类方法只能用于观察裂缝出现时间、数量，而不能确定混凝土内部收缩应力的大小及变化情况；德国慕尼黑技术大学建筑材料和构件检测研究所提出一种外约束棱柱体试验方法，可以测量混凝土由于材料因素产生的收缩应力和半绝热温升导致的温度收缩应力，局限性是实验仪器比较复杂，不能对大量试件进行同步试验，另外其约束条件是刚性，不能客观表述弹性约束条件下混凝土的变形情况。

　　补偿收缩混凝土是一种有效的抗裂混凝土，在建筑工程界使用广泛，其抗裂原理是混凝土的膨胀能对约束力做功，在混凝土内部建立自应力，由其抵消混凝土干燥、降温及荷载等作用引起的收缩应力，由于上述的开裂性试验方法不能提供有效的弹性约束，因此无法客观评价补偿收缩混凝土的抗裂性。内约束混凝土收缩应力试验方法是一种评价混凝土收缩开裂的新方法，该法能够很好地展现补偿收缩混凝土与普通混凝土的差别，适用于评价补偿收缩混凝土的抗裂能力。

1　试验方法与原材料

1.1　试验方法

　　不掺膨胀剂的普通混凝土自由收缩按照《普通混凝土长期性能和耐久性能试验方法》GBJ 82-85 进行。

混凝土膨胀与收缩应力采用内约束棱柱体试验方法。主要装置是一台与计算机相连的水泥砂浆、混凝土膨胀收缩测量仪和一组"混凝土限制膨胀收缩装置"。测量仪的结构见图1，混凝土限制膨胀收缩装置如图2所示。本方法确定的初始长度读数是没

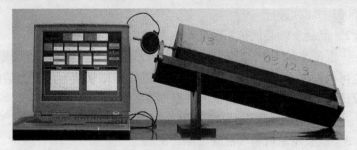

图1　测量仪结构

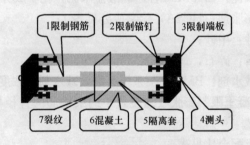

图2　混凝土限制膨胀收缩装置

有浇筑混凝土时限制膨胀收缩装置的长度读数，将混凝土浇筑在装置中，混凝土发生变形时在端部约束下就会带动限制钢筋产生同样大小的变形，通过测量限制钢筋长度变化，可以得出混凝土内部由于变形而产生的应力，采用该方法可以精确测量到的收缩应力包括除混凝土温度应力之外的所有收缩应力的总和。不掺膨胀剂的普通混凝土参照《普通混凝土长期性能和耐久性能试验方法》GBJ 82-85规定的试验条件进行，即试件脱模后在（20±3)℃，相对湿度大于90%的标准养护室养护至3d龄期，再移至温度为（20±2)℃，相对湿度60%±5%的恒温恒湿室；掺膨胀

剂的补偿收缩混凝土试件脱模后在（20±2）℃水中养护 7d，再移至温度为（20±2）℃，相对湿度 60%±5% 的恒温恒湿室。

混凝土强度试验按照《普通混凝土拌合物性能试验方法》GB/T 50080-2002 和《普通混凝土力学性能试验方法》GB/T 50081-2002 进行。

1.2 混凝土轴心抗拉强度（f_{tk}）的确定

混凝土轴心抗拉强度（f_{tk}）一般由混凝土抗拉试验确定，也可以根据立方体抗压强度（$f_{cu,k}$）的试验结果按《混凝土结构设计规范》GB 50010 提供的数据按下式进行换算：

$$f_{tk} = 1.1343\ln(f_{cu,k}) - 1.8275$$

1.3 试验用原材料和混凝土配合比

1.3.1 试验用原材料：

（1）水泥：42.5MPa 普通硅酸盐水泥，化学成分见表 1；

（2）膨胀剂：HCSA，化学成分见表 1；

（3）砂：中砂；

（4）石：碎石，最大粒径 25mm；

（5）减水剂：BMRH 萘系缓凝高效减水剂，浓度 40%。

1.3.2 混凝土限制膨胀收缩装置中约束钢筋的直径与配筋率的关系见表 2。

混凝土配合比见表 3。

表 1　原材料化学成分　　　　　　　　（W/%）

材料名称	烧失量	SiO_2	Al_2O_3	Fe_2O_3	CaO	MgO	SO_3
水　泥	2.61	25.41	6.65	3.37	55.63	3.29	2.09
HCSA	0.80	8.44	6.92	1.84	64.57	4.42	11.29

表 2　混凝土限制膨胀收缩装置中约束钢筋的直径与配筋率的关系

钢筋的直径（mm）	配筋率（%）
10	0.79
16	2.05
22	3.95
28	6.56

表 3　混凝土配合比

编号	每 1m³ 混凝土材料用量（kg/m³）						$W/(C+E)$	坍落度（mm）
	水泥（C）	水（W）	石（S）	砂（G）	膨胀剂（HCSA）	减水剂（BMRH）		
A	309	170	884	1037	0	6.2	0.56	150
B	378	170	815	1037	0	8.3	0.46	200
C	486	170	698	1046	0	13.6	0.37	195
D	536	150	705	1059	0	32.2	0.32	170
E	340	170	774	1068	40	7.6	0.46	230
F	360	170	774	1068	20	7.6	0.46	210

2　试验结果

2.1　混凝土强度

表 4 是混凝土的抗压强度试验结果和根据抗压强度换算的轴心抗拉强度，可以看出随水泥用量增加，水胶比降低，混凝土强度提高。随着龄期的延长，混凝土强度均呈增长趋势，尤其是掺 HCSA 的，自由强度没有倒缩现象，说明膨胀稳定可靠。

表 4　混凝土抗压强度试验结果及换算的轴心抗拉强度

编号	抗压强度 $f_{cu,k}$（MPa）						抗拉强度 f_{tk}（MPa）					
	3d	7d	14d	28d	60d	180d	3d	7d	14d	28d	60d	180d
A	23.5	36.5	42.8	45.2	48.1	48.2	1.75	2.25	2.43	2.50	2.57	2.57
B	34.5	51.9	57.0	61.1	63.3	65.9	2.19	2.65	2.76	2.84	2.88	2.92
C	38.8	54.8	63.3	67.1	68.7	71.6	2.32	2.71	2.88	2.94	2.97	3.02
D	55.4	67.1	70.8	75.1	80.8	82.0	2.73	2.94	3.00	3.07	3.15	3.17
E	23.4	36.0	38.6	45.9	49.2	50.1	1.75	2.24	2.32	2.51	2.59	2.61
F	25.0	37.4	40.2	49.3	53.1	54.7	1.82	2.28	2.36	2.59	2.68	2.71

2.2　变形和收缩膨胀应力

图 3 是 5 个不同配合比的自由变形结果，试验编号为 A、B

119

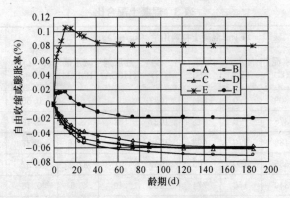

图 3　配合比与自由变形的关系

和 C 的普通混凝土 180d 收缩率约为 0.06%，D 约为 0.07%，补偿收缩混凝土收缩后的剩余膨胀为 0.08%，收缩落差约为 0.025%，是普通混凝土的 1/4。实际工程中，混凝土总是受到配筋或邻位的限制，所以自由变形不能准确反映混凝土材料在结构中的真实情况，它只能反映特定温度和湿度条件下混凝土的干燥收缩变化趋势。限制膨胀或收缩比较接近混凝土的实际情况，图 4 是不同配合比的普通混凝土在相同限制程度（配筋率为 0.79%）时的收缩应力，可以看出，收缩应力随着水泥用量增

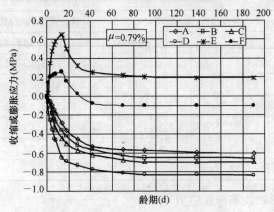

图 4　配合比与收缩应力的关系

加、水胶比降低而增大，这个趋势在龄期42d之前非常显著，补偿收缩混凝土在水养护阶段产生一定的膨胀自应力，干燥过程中早期建立的自应力能够抵消全部或大部分干缩应力。

图5是普通混凝土限制程度与收缩应力的关系，收缩应力随着限制程度提高而增大，并且可能导致混凝土产生收缩裂缝，裂缝情况见图6，裂缝宽度约0.1mm，深度约40mm。由于混凝土

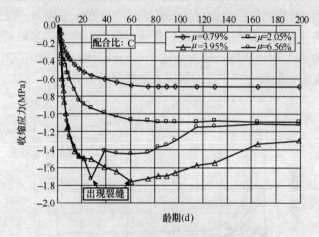

图5　限制程度与收缩应力的关系

图6　产生裂缝的混凝土照片

裂缝尖端处的塑性变形与微结构的非均质性，所以从放大的裂缝照片可以明显观察到裂缝发展过程中存在的分岔现象，这种尖端

塑性变形能够吸收大量断裂能量，使裂缝只能够极其缓慢地发展，不致于在产生裂缝的截面迅速贯穿，从而将裂缝维持在一个不稳定的平衡状态。限制配筋率为 3.95％时，61d 时发生开裂，收缩应力为 1.76MPa，限制配筋率为 6.56％时，28d 便发生开裂，收缩应力为 1.73MPa，混凝土开裂后，收缩应力的得到释放，内部应力开始降低。补偿收缩混凝土的膨胀与收缩应力结果见图 7，补偿收缩混凝土在水中养护时产生膨胀压应力，在所述试验条件下，随限制程度提高，膨胀压应力也增大，当限制配筋率为 6.56％时，膨胀压应力高达 3.0 MPa，转入干燥空气中后，发生收缩，混凝土中贮存的压应力逐渐降低。

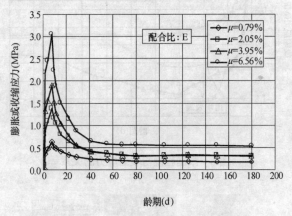

图 7　限制程度与膨胀应力的关系

3　分析与讨论

3.1　自由收缩与收缩应力

自由收缩的试验结果显示，增加水泥用量，虽然降低了水胶比，但是对自由收缩总量影响不大，仅对收缩趋势略有影响。其原因是：在相同温度和湿度下，同种材料配制的混凝土，孔隙率和孔结构是决定干燥收缩的主要因素，孔隙率越大，孔径越小，干燥收缩越大，孔隙率主要取决于单方用水量，试验编号 A、

B、C 的单方用水量相同，总孔隙率大致相当，只是孔结构的变化导致早期收缩有一些差别；编号为 D 的高强混凝土收缩率大是因为自收缩占了较大比例。

收缩应力法的试验结果表明，在相同限制程度下，虽然混凝土的自由收缩率相同，但是由于增加水泥用量，降低水胶比后，混凝土强度提高，其弹性模量 E_h 也提高，而收缩应力 $\sigma = E_h \varepsilon$，所以即使收缩率 ε 相同，σ 也会增加，也就是说，单方用水量相同时，强度高的混凝土，干燥收缩应力大。不仅如此，收缩应力还随水胶比降低，强度提高，早期呈现增大的趋势，图 8 的分析可以看出，与 180d 的收缩应力相比，7d 时，A 为 23%，B 为 37%，C 为 46%，D 为 54%，说明高强混凝土早期收缩应力比大，更容易产生早期裂缝。根据弹性理论，无约束的混凝土，变形时其内部的应力为 0，全约束状态下，其应力最大，弹性约束时，随着约束程度提高，应力逐渐增大，所以，混凝土的收缩应力随着限制程度提高而变大，收缩裂缝也随着限制程度的提高而提前产生。

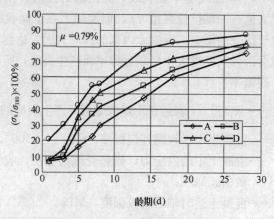

图 8　配合比与 σ_x / σ_{180} 的关系

补偿收缩混凝土在一定配筋率范围内，有膨胀压应力-自应力随配筋率增加而增大的趋势，膨胀能-配筋率-自应力值三者之间的关系比较复杂，大量研究表明，对特定的膨胀混凝土，存在一个最佳配筋率，此时能够获得最大自应力值，而最佳配筋率又与混凝土的膨胀能有关，膨胀能越大，最佳配筋率也越高。补偿收缩混凝土引入的自应力能够抵消混凝土因干燥收缩产生的拉应力，使混凝土处于压应力或 0 应力状态，从而提高其抗裂性能。

3.2 干燥收缩开裂概率

混凝土是一种固、液、气三相并存，各向异性的非均质脆性复合材料，其变形过程中既有弹性变形，又包含一部分塑性变形，也就是说它的弹性模量不是一个常量，另外其性能又随时间和环境条件变化而变化，所以要对其干燥收缩开裂行为进行准确计算十分困难。故可将混凝土的干燥收缩开裂行为视作类似于降雨的小范围概率事件，用干燥收缩开裂概率来预测其发展趋势。干燥收缩开裂概率 C 是根据第一强度理论推导出来的，第一强度理论认为当混凝土中的拉应力 $\sigma \geqslant f_{tk}$ 时，混凝土在垂直于拉应力方向开裂；$\sigma < f_{tk}$ 时，混凝土不开裂。混凝土在短期集中拉力荷载作用下，$\sigma\text{-}\varepsilon$ 曲线基本是直线，其内部的拉应力在构件断裂前达到最大值——即抗拉强度 f_{tk}，但实际上在干燥收缩应力作用下，由于徐变的影响，混凝土内部的拉应力远未达到其抗拉强度时，就会因为其变形大于极限延伸率而产生裂缝，所以定义干燥收缩开裂概率：

$$C = \frac{-\sigma}{f_{tk}} \times 100\%$$，表达在干燥收缩时，产生裂缝的可能性。

式中 C——混凝土干燥收缩开裂概率，$C \in [0, 100]$，%；

σ——混凝土中的内应力，膨胀受压为正值，收缩受拉为负值，MPa；

f_{tk}——混凝土适时轴心抗拉强度，MPa。

混凝土干燥收缩开裂概率（C）越大，开裂的风险也越大，$\sigma > 0$ 时，表示混凝土处于受压状态，不可能发生收缩开裂，混凝土干燥收缩开裂概率定义为 0。由于 f_{tk} 和 σ 不是同类参数，可能存在 $-\sigma \geqslant f_{tk}$ 的情况，此时混凝土干燥收缩开裂概率定义为 100%。

根据试验结果进行的分析见图 9 和图 10。图 9 显示的是配合比不同的普通混凝土的干燥收缩开裂概率 C，可以看出，除了

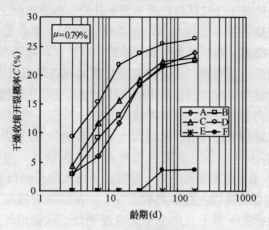

图 9 混凝土配合比与 C 值的关系

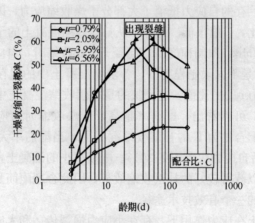

图 10 限制程度与 C 值的关系

水胶比为 0.32 的高强混凝土 C 值较大外，其余的随着水胶比降低，早期的 C 值高，28d 以后差别不大。图 10 反映了限制程度对 C 值的影响，限制程度越高，C 值也越大，当 C 值达到约

60％，混凝土开裂，之后，应力发生松弛，C值降低；对于限制程度不高的混凝土，随着混凝土龄期延长，抗拉强度增长，干燥收缩逐步稳定，C会有所降低，此时收缩应力远小于抗拉强度，混凝土虽然处于受拉状态，但不至于开裂。由于混凝土是一种非均质、多缺陷的弹塑性材料，在缓慢增大的干燥收缩应力作用下，其内部的一些原始微裂缝开始延伸或扩展，随着混凝土干燥收缩应力进一步增大，这些微裂缝会彼此相连形成较大的裂缝，所以当干燥收缩应力远远小于抗拉强度时就会产生裂缝，这与短期集中拉力荷载作用时的破坏情况不同。

本文试验中的补偿收缩混凝土（试验编号 E），由于膨胀能较高，在 180d 以后，混凝土仍然处于受压状态，内部残存约 0.2～0.5MPa 的膨胀自应力，根据对干燥收缩开裂概率的定义，$C=0\%$，也就是说，在本实验条件下，补偿收缩混凝土 E 在不同的限制程度下都不会产生干燥收缩裂缝。试验编号为 F 的补偿收缩混凝土膨胀能较小，28d 后混凝土内部产生拉应力，但是由于早期贮存的自应力抵消了大部分干燥收缩应力，因此以普通混凝土相比，C 值很低。另外，从补偿收缩混凝土的干燥收缩结果也可以看出，限制程度高，混凝土干燥收缩时，自应力损失也快，图 11 是不同限制程度下，各龄期混凝土中的残存应力 σ_x 与最大自应力 σ_{max} 的比值，它反映的是补偿收缩混凝土中自应力的损失趋势，可以看出，配筋率越高，干燥收缩时自应力损失越快，对于配合比为 E 的补偿收缩混凝土，当配筋率大于 3.95％时，80d 后自应力仅剩不到 20％。配筋率小的混凝土，自应力损失少，可以获得较好的补偿收缩效果，因此合理配筋是提高补偿收缩能力的一个有效技术途径。

混凝土在应力作用下，存在小应力慢裂传播和大应力快裂传播两种过程。在单轴压缩应力之下，到极限强度的 40％～60％时，就有某种程度的慢裂传播，如超越这种传播，就过渡到快裂传播过程。从试验结果来看，干燥收缩裂缝的特征显然属于存在尖端塑性的慢裂传播，故将混凝土在弹性限制情况下的干燥收缩

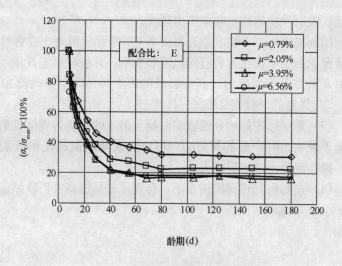

图 11　限制程度与 σ_x/σ_{max} 的关系

开裂概率划分为：$C \geqslant 60\%$（高开裂风险），$40\% \leqslant C < 60\%$（中等风险）和 $C < 40\%$（低风险）三种状态，用来评价混凝土干燥收缩时产生裂缝的概率。这仅是一个粗浅的划分，还有待更多试验数据对其进行修正。如果只是用来评价不同配合比混凝土的开裂风险，分析其在某一限制程度下的干燥收缩开裂概率，进行相对比较即可。绝大多数工程中的混凝土都处于弹性限制状态，其限制程度有大有小，所以针对工程的开裂风险评估，则要根据工程的限制情况，设定限制程度，选择合适的"限制膨胀收缩装置"进行试验。

综上所述，采用干燥收缩开裂概率 C 可以简单、直观评价混凝土在不同限制情况下产生收缩裂缝的概率，对工程应用中设计抗裂混凝土配合比具有指导意义，特别是对评判补偿收缩混凝土的抗裂性能具有积极意义。

4　结语

（1）采用内约束收缩应力方法研究了混凝土干燥收缩时其内部应力的变化情况，结果显示单方用水量相同的情况下，水胶比越低、限制程度越高，收缩应力越大。

（2）提出用"干燥收缩开裂概率 C"来评价混凝土在弹性限制情况下产生干燥收缩裂缝的风险和概率，并将混凝土发生干燥收缩开裂的概率划分为：高开裂风险 $C \geqslant 60\%$，中等风险 $40\% \leqslant C < 60\%$ 和低风险 $C < 40\%$ 三种状态。

（3）掺加膨胀剂的补偿收缩混凝土引入的自应力能够抵消混凝土干燥收缩时产生的拉应力，可以有效降低混凝土的开裂概率，提高混凝土的抗裂能力。

（4）在膨胀能相同的情况下，合理配筋是提高补偿收缩能力的一个有效技术途径。

专题五 补偿收缩混凝土的应用注意事项

到目前为止，尚未研究出一种能完全防止干缩裂缝的材料，日本经过 12 年的工程实例调查证明，补偿收缩混凝土具有减少干缩裂缝的效能。通过对混凝土裂缝的考察，认为如果规范施工质量，补偿收缩在解决混凝土裂缝方面有很大意义。

自 20 世纪 80 年代末期以来，我国建筑工程开始大量使用补偿收缩混凝土，混凝土工程的裂渗损害有很大程度的改善，这对提高建筑工程的耐久性起了积极作用。90 年代后，随着高性能混凝土的发展，混凝土裂缝问题不但没有减少，相反比以前更多、更突出了。一些工程虽然使用了补偿收缩混凝土，但没有取得相应的效果，也发生了不同程度的裂渗。

钢筋混凝土产生裂缝的原因很多，不能简单归因于混凝土的干缩，膨胀剂超出其使用范围，也不能得到预期的效果。根据我国膨胀剂生产质量现状和工程中应用存在的问题，提出了正确使用混凝土膨胀剂和补偿收缩混凝土的建议。

1 膨胀剂的选用

选用膨胀剂时，首先检验它是否达到国家现行标准《混凝土膨胀剂》JC 476-2001 的要求。主要看三项：一是水中 7d 限制膨胀率不小于 0.025%，二是掺量不大于 12%，三是碱含量不大于 0.75%。对于重大工程，应到膨胀剂生产厂家考察其生产工艺线和化验仪器设备是否齐全，并在库房随机取样抽验。现在膨胀剂牌号近 30 个，即使是同一品牌，如 UEA，全国就有 20 多个厂生产，其矿物组成也有差别，与水泥和外加剂的适应性也不同，使用前应该进行检验。

标准规定的膨胀剂有三种类型：硫铝酸钙类、氧化钙－硫铝酸钙类和氧化钙类。每种膨胀剂都有各自的特点，应视混凝土配制水平、原材料状况和工程特点合理选用。

2 混凝土配合比

补偿收缩混凝土的配合比设计，应该以限制膨胀率为主要技术指标，根据现行国家标准《混凝土外加剂应用技术规范》GB 50119-2003规定，掺膨胀剂的补偿收缩混凝土的特性指标是：水中养护 14d 的限制膨胀率不小于 0.015%。测定方法是用 100mm×100mm×300mm 试件，中间预埋 ϕ10mm 限制钢筋骨架。当混凝土强度达到 3～5MPa 时脱模，用专用仪器测定初始长度，然后放入水中测定其 7d、14d 伸长率。大多数施工单位和搅拌站只测掺膨胀剂混凝土的坍落度、强度和抗渗标号，不测混凝土的限制膨胀率，存在"一掺就灵"的盲目思想，这是使用膨胀剂的一个误区。

膨胀剂主要用途是补偿收缩，根据大量工程实践表明，防水工程的底板混凝土的限制膨胀率为 0.015%～0.025%，侧墙的限制膨胀率为 0.030%～0.035%，后浇带或膨胀加强带的限制膨胀率为 0.035%～0.045%。因此，不同的结构部位的抗裂要求不同，膨胀剂掺量也不同。由于膨胀剂与水泥和减水剂存在适应性问题，试验表明，在相同配合比情况下，不同厂家生产的 P.O42.5水泥，其膨胀率差别很大，其原因至今未明，可能是由于水泥熟料中的矿物组成，尤其是 C_3A 和比表面积不同造成的。这就说明，必须根据工地原材料试配补偿收缩混凝土，在满足混凝土坍落度、强度和抗渗等级情况下，必须达到限制膨胀率的设计要求，否则要调整膨胀剂掺量。有些单位把膨胀剂降低掺量当防水剂使用，这是可以的；在此情况下只能提高混凝土抗渗性能，不能抗裂。膨胀剂首先要解决的是混凝土结构的抗裂，不裂就不渗。而达到补偿收缩的抗裂作用，关键是混凝土膨胀率能否满足不同结构的补偿收缩要求。必须指出，厂家推荐的膨胀剂掺量只能作参考，用于指导配合比设计，施工配合比必须满足设计要求的限制膨胀率、强度、抗渗和和易性等技术指标。值得一提的是，个别厂家在进行产品推销时，故意混淆概念，将用于产品检验时的掺量，说成是混凝土中的掺量，因而出现所谓掺量"6％的高效低掺量膨胀剂"，这是不正确，也是不负责任的。以目前国内的膨胀剂技术水准，实现补偿收缩的目的，以铝酸钙、硫铝酸钙熟料为主要矿物的膨胀剂，其掺量约为 $30kg/m^3$，以煅烧高岭土、煅烧明矾石等为主要矿物的膨胀剂，其掺量不低于 $40kg/m^3$。

一些试验室反映，膨胀剂替代水泥后，混凝土强度下降，因而认为少掺膨胀剂比较保险，这也是个误区。现阶段用于强度检验的试件是无限制的自由试件，在达到设计要求的限制膨胀率情况下，抗压强度比不掺膨胀剂的混凝土下降 10％左右属正常现象，最简单的解决办法是通过提高减水剂掺量，降低水胶比，自由强度也完全可以达到设计要求。图 1 是达到相同强度时，膨胀剂掺量与水胶比、限制膨胀率的关系。但是在实际工程中，混凝土结构都受到钢筋和邻位的约束，试验表明，带模养护的膨胀混凝土试件的强度比自由强度高 10％～15％。

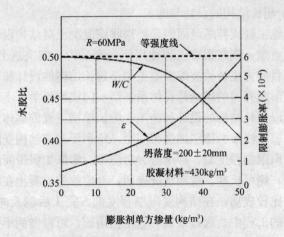

图 1　膨胀剂掺量与水胶比、限制膨胀率的关系

另外，施工中疏于管理，或出于偷工减料之目的，有意和无意少掺膨胀剂也是造成混凝土开裂事故增多的一个原因。经过多次实地调查发现，许多发生开裂事故的工程，都存在膨胀剂掺量不足的情况，造成补偿收缩能力不足，混凝土开裂就不足为怪了。

3 设计中需要注意问题

建筑结构裂渗控制是个系统工程，许多设计单位推荐使用掺膨胀剂的补偿收缩混凝土作为一个防裂措施，但他们对膨胀剂正确使用不了解，也存在一些误区，应以纠正。

3.1 正确认识补偿收缩混凝土

补偿收缩混凝土是指在所使用的配筋条件下能使混凝土内部建立 0.2～0.7MPa 的压应力或者使混凝土所受的拉力低于混凝土抗拉强度的一种微膨胀混凝土。目前建筑工程中掺膨胀剂配制的膨胀混凝土都属于补偿收缩混凝土，只能补偿混凝土的化学减缩、大部分干缩，不具备自应力混凝土或预应力混凝土的抗拉强度，主要用于结构自防水，回填后浇缝和适当延长伸缩缝间距，特别适合在潮湿环境下使用。

3.2 关于超长结构的设计与施工

延长施工缝或伸缩缝间距是补偿收缩混凝土对结构设计、施工的另一贡献，现在很多工程使用膨胀剂是为了解决这个问题。然而，到目前为止补偿收缩混凝土用于超长结构的设计和施工技术还没有形成完善的理论计算体系，是一门实验科学，不是计算科学，所以超长结构的设计和施工，应该根据工程的具体情况确定伸缩缝、后浇带、膨胀加强带间距，特别要考虑结构受限制的程度。如果限制程度高，伸缩缝、后浇带、膨胀加强带间距就要短，反之，则可长些。应用情况表明，补偿收缩混凝土在地下工程中应用比较成功，在结构受限制程度低，完工后能及时回填，温差较小的工程中，通过采取一些工艺措施，可以做到不设永久伸缩缝，后浇带、膨胀加强带间距以 60m 左右为宜。鉴于补偿收缩混凝土对冷缩的补偿非常有限，在北方寒冷地区，由于地表温差很大，地下一层外墙和顶板是否留伸缩缝要慎重确定，地上工程延长伸缩缝间距，应采用补偿收缩混凝土与预应力相结合的方法。实践证明，后浇带可以有效地释放收缩应力，在混凝土结构应力集中的部位设置后浇带，如连接两块大体积混凝土之间较薄的板或梁上设后浇带，可以避免这些部位出现裂缝。科学合理地运用补偿收缩混凝土和后浇带技术，对混凝土中的收缩应力采取"抗放结合"的防治措施，可以有效地避免或减少超长的大型钢筋混凝土结构产生裂缝。

3.3 关于配筋

离开配筋限制谈补偿收缩毫无意义，"细、密"的配筋原则历来是解决混凝土开裂的有效方法，纤维混凝土是这个原则的最佳体现，补偿收缩混凝土也不例外。相同配筋率下，钢筋间距越大，对膨胀混凝土的限制系数就越小，补偿收缩效果也越差。所以对于易裂的外墙混凝土，水平筋配筋率不应低于现行国家标准《混凝土结构设计规范》GB 50010 的有关规定，水平钢筋可选 $\phi 10 \sim 16mm$ 的钢筋，间距不大于 150mm，在墙中部 1m 范围内，水平筋的间距加密至 $80 \sim 100mm$，形成一道"暗梁"，以平衡收缩应力；水平筋应放在受力竖筋外侧，确保混凝土保护层厚度。此外，从限制形式看，补偿收缩效果依三向—双向—单向而递减，故厚度大于 100mm 的楼板，上层也应该配抗裂钢筋，否则处于自由状态的上部混凝土很容易开裂，裂缝扩展会贯穿楼板。个别开口部和墙柱连接处由于应力集中易开裂，应增添附加钢筋。

4 施工中需要注意的问题

施工单位对建筑结构的裂缝十分头痛，认为混凝土中加入膨胀剂就能解决问题，这也是个误区。除了设计上保证合理配筋和补偿收缩混凝土的配合比保证足够的限制膨胀率外，施工管理则是关键。

4.1 准确计量膨胀剂，均匀搅拌混凝土

膨胀剂加入量不足，对于干缩拉力的抵抗力就不够，实际上和普通混凝土没有多大差别。然而，膨胀剂加入量超过一定限度时，就会出现异常膨胀，受约束的混凝土，其破坏状态象没有强度的混凝土突出来。这种失败是由于混凝土制造过程中，膨胀剂投料操作发生错误所致。所以，膨胀剂的加入量必须准确计量，否则，就会有害无益。

混凝土是一种良好的模筑材料，要求在施工操作时均匀捣固，使其充分密实才能完全发挥它高强致密的材料特性。对于干硬或半干硬性混凝土，振捣不密实是产生渗漏的主要原因，而流态混凝土过振则会产生骨料和浆体分离的现象，降低混凝土的匀质性，影响混凝土的抗渗性能。补偿收缩混凝土虽然具有填充、密实混凝土的功能，但对因上述振捣原因而引起的渗漏没有多大作用，因为振捣不密实或过振离析产生的是工艺性缺陷，不属于毛细孔范畴，所以使用补偿收缩混凝土必须精心振捣，否则同样会产生渗漏。现场拌制的混凝土的拌合时间要比普通混凝土延长30s，以保证膨胀剂和水泥、减水剂拌合均匀，提高其匀质性。混凝土布料、振捣要按施工规范进行。

4.2 加强养护，充分发挥膨胀效能

补偿收缩混凝土的养护对其发挥补偿收缩特性致关重要。下式表明，无论是硫铝酸钙类还是氧化钙类补偿收缩混凝土，在其发生体积膨胀时都需要水的参加，研究证明，仅靠拌合水是不足以使其产生抗裂能力的，普通混凝土尚且要求洒水养护一定时间，补偿收缩混凝土更需要强调水养护。要求养护期不少于14d。

硫铝酸钙类反应通式：$6CaO + Al_2O_3 + 3SO_3 + 32H_2O \longrightarrow 3CaO \cdot Al_2O_3 \cdot 3CaSO_4 \cdot 32H_2O$

氧化钙类反应通式：$CaO + H_2O \longrightarrow Ca(OH)_2$

在结构施工阶段，长期处于水中养护的混凝土几乎不存在，多是浇水养护7～14d后停止养护或根本不进行浇水养护。工程

的底板通常比较厚，且外露面积约为总面积的一半，混凝土内部水分不容易散失，墙板和楼层板较薄，外露面积大，水分容易散失，经常发生养护不到位的情况。所以，墙体宜用保湿较好的胶合板做模板，混凝土浇完后，在顶部设水管慢淋养护，达到拆模强度后，松动对拉螺栓，使养护水能够进入模板内。墙体宜在5d后拆模板，然后尽快用麻包片贴墙并喷水养护，保湿养护10～14d。底板宜用蓄水养护，冬施要用塑料薄膜和保温材料进行保温保湿养护；楼板宜用湿麻袋复盖养护。

5 常见事故原因分析及处理措施

5.1 板式结构混凝土表面裂缝

混凝土在终凝以后表面出现裂纹，施工单位常常要求膨胀剂生产商进行解释。

主要原因是施工不当所致，大致有以下几种情况：

（1）混凝土浇筑完没有进行充分抹压，出现沉塑裂缝（主要是塑性混凝土沉降后产生的），一般沿钢筋方向分布，严重的呈网状，裂缝较宽；

（2）振捣时发生用振捣器别钢筋下料的情况，激振力沿钢筋传播，破坏了已经成型的混凝土表面，产生沿钢筋走向的裂缝；

（3）养护不到位，混凝土发生水分迁移，产生龟裂纹；

（4）大体积混凝土表面硬化后没有立即进行保温养护，由温差引起表面裂缝。

5.2 墙体拆模即发现裂缝

墙体在混凝土浇筑1～2d后拆模板，发现有裂缝。

主要原因是由于混凝土冷缩引起的。因为在模板中的混凝土不具备发生失水干燥收缩的条件。而且大部分膨胀剂在1～3d内的膨胀还没充分发挥出来，难以完全补偿温差收缩。工程实践表明，即使在这种情况下，使用补偿收缩混凝土仍然能够减少裂缝数量和宽度，加强养护后，一般不会产生新的裂缝，原有的微小裂缝会逐渐愈合。

5.3　不溶解膨胀剂的隆起

膨胀混凝土浇筑 2～4 个月，发现在混凝土表面有小的隆起（依不溶块的大小而异），形状象火山口（图 2 所示），混凝土表面受破坏，这是由于内部不溶解的膨胀剂突起，产生环状破坏的事故。

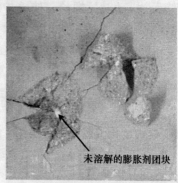

未溶解的膨胀剂团块

图 2　不溶解膨胀剂引起的隆起

主要原因是由于混凝土工厂膨胀剂投料管理不善所致。膨胀剂投料时，无论用人工或机械方法，都要在投入口设置金属网，把异物除掉。

调查表明，投料口没有设置金属网，直接投入解袋的膨胀剂，块状的膨胀剂就会混入到混凝土中。此外，在预拌混凝土工厂里把用剩的膨胀剂再贮藏，风化变成块状，后来使用时，直接投入到搅拌机中，有部分粘附在搅拌机的四周，这些块状膨胀剂也混入在混凝土中，这都是工程失败原因之一。如果在所有场合膨胀剂通过金属筛的话，便可防止这种事故的发生。

此外，膨胀剂加入量违反规定，这也是投料作业称量发生的事故。如果懂得膨胀剂的知识，严格进行管理的话，是不会出问题的。现在以机械投料为主，希望膨胀剂用单独的机械投料。

膨胀剂易于吸湿，直接放在地上易于风化。此外，即使包装袋表面上发生少量硬化，也要把硬块除掉，全部风化者则废弃。对于用剩的膨胀剂，除当日使用外，其余拆袋后的膨胀剂也要废弃。

5.4 混凝土养护不好造成的干燥收缩裂缝

干燥收缩裂缝的宽度一般在 0.3mm 以下，条件恶劣者，裂缝宽度可达 1mm，深度达 10mm。同时，在几个月后，还会发生大的干缩裂缝。

补偿收缩混凝土的特性是在保证温度和湿度的基本条件下，才能得到充分发挥。对于养护方法必须十分讲究。在夏天浇筑的混凝土，浇水养护是绝对必要的，如果浇水不足，则会发生干燥裂缝。补偿收缩混凝土在施工上的失败，大多是由于养护不足所致。在现场，要由专人负责养护，一定要满足养护要求，切不可敷衍了事。

5.5 钢筋不足引起膨胀混凝土产生裂缝

为了验证在补偿收缩混凝土开口部加强钢筋的效果，分别在普通混凝土和补偿收缩混凝土中加入加强钢筋，观察裂缝的发生情况（如图 3 所示），对于普通混凝土，整个开口部发生放射状裂缝，而补偿收缩混凝土则产生垂直的小裂缝，由此可以看出在补偿收缩混凝土中，加强钢筋有一定效果。

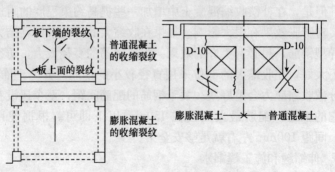

图 3 开口部和板面的裂缝特征

补偿收缩混凝土因为约束不足产生的裂缝特征：

（1）屋面板裂缝：水平板的裂缝发生在中央，普通混凝土的裂缝不规则。

（2）倾斜板的裂缝：裂缝多发生在倾斜面的上端和下端，不是发生在沿倾斜面上。

（3）长墙面发生的裂缝：对于两端固定的长壁，沿中央产生垂直裂缝。

（4）开口部裂缝：普通混凝土开口部裂缝是 45°放射状，而膨胀混凝土的裂缝接近垂直。

原因：补偿收缩混凝土虽有其特点，如任其自由膨胀则不能防止混凝土的裂缝。由于受到钢筋的约束，膨胀力变为储存在混凝土内部的应力，从而起到抵抗干缩的预拉应力的作用。但是，如果约束状态恶劣，对于约束不足的地方，当然会产生裂缝，达不到使用膨胀剂的良好效果。

因约束不足而产生裂缝的原因很多，调查结果表明，附加约束钢筋少的地方，裂缝发生率也就高，但约束钢筋超过一定限度时，也不起作用。

期望使用补偿收缩混凝土全无裂缝，这未免过高。补偿收缩混凝土是以减少裂缝为目的，由于建筑物的建造形状产生的裂缝尚不能弥补，钢筋约束力和收缩力失去平衡的部分就会发生裂缝。但是，在补偿收缩混凝土中增加一些提高约束程度的附加钢筋，对膨胀效果有很大影响。如果在收缩大的部位采用粘结力高的异型钢筋，想必有更好的效果。附加钢筋的直径太大，防裂效果不大好，在收缩大的部位采用直径较小的钢筋，并合理布筋，对分散收缩应力会更好些。关于钢筋的配筋间距，至今还没有确定它的根据，配筋最大间距在 150mm 以下即可。根据使用场所，间距 100mm 左右就足够安全了。

5.6　伸缩缝和施工缝漏水

钢筋混凝土建筑物的伸缩缝和浇灌混凝土时的施工缝，是为了避免混凝土干缩设置的，这些部位发生漏水事故很多。因此处理特别困难，实际上，施工后处理漏水的例子也很多。

原因：从理论上讲，现场施工必须要把接缝处理严密，但在施工中往往不能做到。补偿收缩混凝土的接缝和普通混凝土一样，这部分处理不好，就会由于干缩裂缝引起漏水。

5.7 补偿收缩膨胀混凝土缺陷和裂缝的修补方法

（1）缺陷的修补方法：

对于不溶解膨胀剂使混凝土表面隆起的处理，可以凿开把风化状的膨胀剂块取出，用水把残余物冲洗干净，在凿开的表面上涂上水泥浆，再用膨胀水泥砂浆填补上，并抹压平整。

对于因施工中漏振或过振产生的孔洞、蜂窝麻面，应剔除松动部分，用水把残余物冲洗干净，在凿开的表面上涂上水泥浆，再用膨胀水泥砂浆填补上，并抹压平整。

（2）补偿收缩混凝土裂缝的修补方法：

其修补方法可参照普通混凝土，屋面板的可见裂缝宽度在 1mm 以下时，可凿成 V 字形断面，在其表面充分涂刷上水泥浆后，用膨胀水泥砂浆填补，并予以保湿。对于 1mm 以上的裂缝，凿成 V 字形断面，直接灌入树脂，再用上面的方法处理直至不产生裂缝。

外墙面的裂缝和屋面板一样，又深又宽的裂缝贯穿两面为多。这种裂缝以注入树脂较好，修补痕迹不会那么明显，但修补要花工夫。

内墙开口部裂缝，可用膨胀水泥砂浆填补在 V 字缝中。总的来说，膨胀混凝土裂缝的修补费要比普通混凝土少。

6 工程后期防护

补偿收缩混凝土浇筑完的后期防护工作也非常重要，有很多地下工程在夏季施工完到秋季一直没有发现裂缝，但到来年春天发现裂缝，原因是对冷缩估计不足。图 4 是补偿收缩示意图，I 区是养护期间产生的膨胀 ε_2，II 区是养护结束至回填前混凝土的

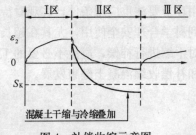

图 4　补偿收缩示意图

状态，这个时期由于混凝土发生干缩，若再发生较大的冷缩，混凝土就会开裂；Ⅲ区是回填土后由于保温保湿养护作用，混凝土又恢复一定的膨胀。所以施工完的地下结构应该尽早回填，缩短Ⅱ区的时间；另外，北方地区地下一层结构的墙板容易发生冷缩裂缝，施工时要注意冬季保温或设置伸缩缝，避免发生不必要的经济损失。

7 结语

混凝土结构裂缝控制是个系统工程，近年来，我国工民建向长大化、复杂化发展，商品混凝土普及应用，混凝土强度等级从C30向C50发展，这些因素导致钢筋混凝土结构开裂的机率增多。掺膨胀剂的补偿收缩混凝土在防止和减轻混凝土开裂方面做出了积极贡献。但在膨胀剂和补偿收缩混凝土的使用过程中仍然存在一些误区和不足的地方。

迄今为止，混凝土科学仍然是一门实验科学，补偿收缩混凝土作为特种混凝土，也必须遵循这个规律，在使用前一定要进行科学的试配，结果符合设计要求才能施工；不能像以前仅给一个10%或12%的掺量，而不进行限制膨胀率试验。在补偿收缩混凝土发展方面，要加快研究早期膨胀能高的膨胀剂，补偿高性能混凝土的收缩；在裂缝评价方面，应研究适合补偿收缩混凝土裂缝发展趋势的测试方法。

使用补偿收缩混凝土技术可以简化施工，提高工效和工程质量，降低工程造价，是增加设计可靠性的理想手段。但在一些应用环节要注重应用条件，客观看待它对各种收缩的补偿能力，做到科学合理安全使用，尤其在超长结构中使用时，要明确它只能对干缩进行补偿，避免不必要的工程质量事故，使混凝土膨胀剂和补偿收缩混凝土健康发展。

专题六　补偿收缩混凝土工程应用实例介绍

至 2003 年底，我国已使用掺膨胀剂的补偿收缩混凝土达 9500 万 m^3，广泛应用于高层建筑和商业广场地下室、地铁和隧道、水工建筑、海工、军工、核电、水利、人防等不同工程领域，特别是在钢管混凝土、灌注桩和水泥混凝土制品中的应用，工程量大，应用面广，下面选择一些有代表性的工程作简要的分类介绍。

1　地下工程

补偿收缩混凝土应用于高层建筑、大型商业与会展中心、城市广场等项目的地下室工程最多，占膨胀剂总用量的 60％～70％，在许多桩板地基和筏基的底板中，采用结构自防水和无缝施工技术，取消外防水，无渗漏，大大缩短工期并节省投资。

（1）北京当代商城（1991 年）

北京当代商城是一座大型高层商业性建筑，工程开工于 1991 年，总建筑面积 61300m^2，有两层地下室（图 1）。地下部分约为 88m×88m 的正方形箱体结构，底板厚 0.75m，墙厚 0.35～0.40m。地上部分是框架-剪力墙体系，各层楼板厚为 0.19m，混凝土总用量 15200m^3。

膨胀加强带

图 1　北京当代商城
膨胀加强带位置

混凝土设计指标 C30P12，使用 UEA 补偿收缩混凝土（性能见表 1），实现结构自防水并取消建筑物后浇带，简化了施工工艺，加快了施工进度，取得了良好的抗渗防裂效果，技术经济效益显著。

表1 混凝土配合比及性能

| 施工部位 | 设计标号 | 混凝土配合比（kg/m³） | | | | | | 坍落度 |
		水泥	UEA	砂	石	水	HZ-6	（mm）
地下一般部位	C30P12	390	50	624	1159	199	22	160～180
地下膨胀加强带	C30P12	413	70	606	1124	207	24	160～180
地上一般部位	C25	303	37	673	1251	156	3.4	70～90
地上膨胀加强带	C25	366	64	617	1197	176	4.3	70～90

（2）北京西客站站房工程（1993年）

北京西客站北站房及综合楼东西全长为740m，南北宽为103m。全部建筑分为八个设计段，分别为中区：Ⅰ段（主楼）及地下车库，下沉广场；东区：Ⅱ段（东方体）、Ⅳ段（东附楼）Ⅵ段（东配楼）及Ⅵ（东配楼地下车库）；西区：Ⅲ段（西方体）、Ⅴ段（西附楼）、Ⅶ段（西配楼）及Ⅶₐ段（西配楼地下车库）。地下结构部分除主楼及东西方体分段与地面部分相对应外，东附楼和东配楼间、西附楼和西配楼间，其地下部分连在一起，不设永久沉降缝，单向总长度已达221m。地铁预埋工程（折返线南段）贯通南北，在主楼及地下车库下通过，埋深为－18.69m，长度为103.88m。

混凝土设计指标C30P10，一般部位UEA掺量为12％，后浇带、工艺缝（以后称为膨胀加强带）掺量为15％。北站房及综合楼工程地下结构从1993年3月13日垫层施工（图2），历时1年，共浇筑UEA抗裂防渗混凝土126000m³。使用UEA6972t，占北京西客站工程全部UEA用量（2万t）的35％，全部UEA补偿收缩混凝土（40万m³）的32％。这是目前世界上单体建筑物采用补偿收缩混凝土量最大的工程。实践证明，这项技术措施对解决温度及收缩问题，效果明显。

（3）北京昆泰大厦（1994年）

北京昆泰大厦是北京朝外商业中心第一幢的现代化大厦，其

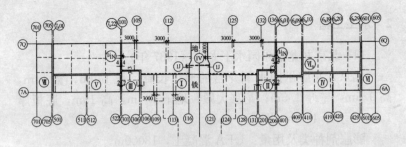

图例	名称	缝宽
═══	沉降缝	1000~1500
≡≡≡	长期后浇缝	1000
───	后浇缝	Ⅰ段 800 Ⅱ~Ⅶ段 1500
─‧─	工艺缝	2000

图 2　北京西客站北站房变形缝及各种后浇缝留置图

中写字楼面积 4 万 m²，商场面积 8 万 m²。东西长 204m，南北宽 53m，地下 3 层，地上主楼 22 层，总建筑面积 12 万 m²，其中地下室约 3.5 万 m²，槽底标高 −17.10m，地下水位 −12.00m，整座地下室不做外防水，不设永久伸缩缝，由 4 条长期后浇缝把基础分成 5 块。基础为筏板结构，塔楼部分底板厚 1.8m，其余为 1.5m 和 1.2m。

混凝土设计指标 C30P16，使用 UEA-M 补偿收缩混凝土（性能见表 2），实现结构自防水并延长建筑物伸缩缝间距，补偿大体积混凝土部分冷缩。已于 1996 年竣工，取得了良好的抗渗防裂效果。

表 2　补偿收缩混凝土性能

水泥品种	UEA-M（%）	粉煤灰（%）	抗压强度（MPa）		限制膨胀率（×10⁻⁴）			
			7d	28d	1d	3d	7d	14d
琉璃河 425 矿	12	—	24.2	39.4	0.85	2.01	2.54	3.10
怀北 425 普	12	14	20.5	39.5	0.72	1.85	2.32	2.87
冀东 525 硅	11.6	14.4	39.7	49.3	0.89	1.76	2.31	2.40

143

2 水工工程

(1) 北京九龙游乐园水下龙宫（1987 年）

北京九龙游乐园水下龙宫的通道长廊，长 140m，宽 14m，高 9.5m，壁厚 1.5m；龙宫大殿；地下 $\phi45m$，高 15m，底板厚 1.2m，墙厚 1.0m（图 3）。

膨胀剂种类及用量：UEA 混凝土，18000m³。

功能：长 170m 的龙宫墙体不分缝，面积 1700m² 的顶盖不分块，无缝施工。

图 3　水下龙宫结构

(2) 宁波甬江隧道（1993）

宁波甬江隧道全长 1020m，其中沉埋管道总长 420m，每节长 85m，宽 11.9m，高 7.5m，底厚 1.05m。合拢段宽 1.2m（图 4），UEA 膨胀混凝土浇筑，连成整体。

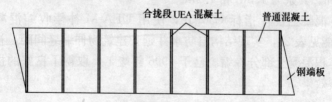

图 4　沉管分段浇注及 UEA 使用部位

(3) 北京市顺义清源水质净化厂

顺义清源水质净化厂第一期土建工程包括氧化沟一座，终沉池两座，提升泵站，污池回流泵池等。氧化沟 90m×60m，底板厚度 0.65m，墙厚 0.5m，高 5.5m。终沉池 $\phi46m$，底板厚

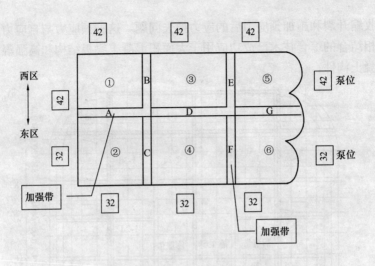

图5 氧化沟底板膨胀加强带位置

0.5m，墙厚 0.25m，墙高 3.2m（图5）。

混凝土指标：C25、C30、P6；

膨胀剂种类及用量：UEA 补偿收缩混凝土（表3）；

功能：结构自防水，取代后浇带，无缝施工。

表3 UEA 混凝土配合比及性能

编号	W	C	S	G	UEA	FA	减水剂	抗压强度（MPa）			限制膨胀率（×10⁻⁴）	
								3d	7d	28d	7d	28d
C25	184	305	730	1095	47	39	7.82	19.6	25.8	38.8	2.1	2.5
C30	180	325	711	1088	58	42	8.42	22.2	29.3	41.2	2.1	3.1

3 预应力工程

采用预应力技术，要求混凝土强度达到设计强度的 80% 以上才能施加预应力，此前期间混凝土最易出现收缩裂缝；施加预应力后，混凝土仍继续收缩，会造成预应力损失。补偿收缩混凝土与预应力技术相结合，可以较好地解决施加预应力前的混凝土收缩开裂和施加预应力后的应力损失问题，这种预应力与自应力相结合的综合技术已成功应用于大面积混凝土梁板结构和高强混凝土构件。

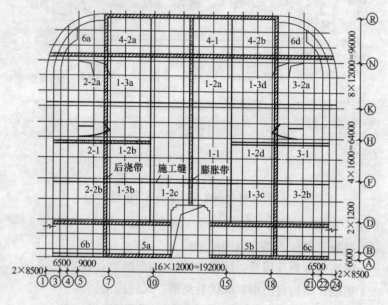

图 6　珠海拱北品岸广场顶板合块分缝

（1）珠海拱北口岸广场

广场总长 248m，总宽 190m，地下三层。顶板以上为露天广场，顶板厚 350～400mm，面积 4.7 万 m^2，应用 UEA 补偿收缩混凝土结构自防水和无缝施工技术。无梁楼板为部分预应力设计。整个顶盖设六条后浇膨胀加强带和四条施工缝，分 24 块，板中央区面积为 139m×131m，其余面积不等（见图 6）；12m 跨中板带底筋为 $\phi18@150$，$\phi20@150$；16m 跨中板带底筋为 $\phi20@150$，面筋 $\phi22@150$，各区楼盖敷设无粘结筋 $\phi15.2$ 钢铰线，预应力筋的有效预应力值为 1116N/mm^2。

为防止混凝土板早期开裂和减少混凝土后期收缩，顶盖全部用 C35P6 UEA 混凝土（表 4）分块浇筑；施加预应力和锚固后，

146

以 C40P6 膨胀混凝土回填加强带。

表4 UEA混凝土配合比（kg/m³）

结构部位	水泥	砂	石子	UEA	粉煤灰	CSP-7	水	坍落度（mm）
顶盖 C35、P6	340	715	1068	55	45	6.9	175	180～200
加强带 C40、P6	360	695	1059	67	53	7.9	172	180～200

（2）武汉国际会展中心

会展中心为广场地下室工程，地下二层，长 162m，宽 153m，底板厚 500mm，侧墙厚 400mm。广场顶板中心展厅部分为预应力梁板结构，采用 C45P6 UEA 补偿收缩混凝土（表5）、结构自防水和无缝施工。广场顶板中心展厅部分，以膨胀加强带划分成 6 个区段，无粘结预应力筋采用 φ15.2 低松弛钢绞线和 QM15 型夹片锚具。分区浇筑后施加预应力，28d 后再用 C50P6 膨胀混凝土回填膨胀加强带。

表5 UEA混凝土配合比（kg/m³）

结构部位	水泥	UEA	粉煤灰	砂	石子	FDN	水	坍落度（mm）
顶板 C45P6	380	52	48	684	1116	4.8	185	180～200
加强带 C50P6	410	70	35	672	1087	5.2	178	180～200

（3）孔道灌浆

在施加预应力和锚固后，要求用流动性的微膨胀水泥浆灌孔，使预应力筋与混凝土孔壁紧密结合，减少预应力损失。以往大多是掺入水泥重量 0.01%～0.03%铝粉，铝粉与水反应产生氢气泡造成膨胀，其缺点是会降低水泥强度，且膨胀不稳定。现在许多后张法预应力结构工程，改用掺膨胀剂的水泥浆灌孔。

例如山东国际会展中心大跨、双向预应力连续梁，孔道灌浆采用 P.O42.5 水泥掺入 8% 的 MNC-EPS 微膨胀灌浆剂；北京京都商业中心九号商住楼复合预应力混凝土框架倒扁梁板，用掺 8%JP 膨胀剂的混凝土封闭张拉穴槽；深圳华为电气厂房预应力框架梁采用掺 10%UEA 的 W/C 为 0.4~0.45 的水泥浆灌孔；华新水泥厂熟料库巨型筒仓无粘结预应力施工中，采用掺 JM-3 型复合膨胀剂作灌孔材料；北京立交桥预应力梁板采用 UEA 微膨胀水泥浆灌孔道等。

4 水电工程

（1）防渗面板

福建龙门滩碾压混凝土坝设计坝高 57.5m，坝顶长 150m，总混凝土量 9.3 万 m^3，防渗面板 3600m^2，最大高度约 40m，最大长度 105m，上部、中部、底部厚度分别为 24cm、40cm 及 60cm。

设计单位作了分析选择，认为普通混凝土易裂，需分缝，要满足抗渗要求厚度常达 2m 以上，则要增加 1 万 m^3 混凝土。经过大量的试验研究，采用 C25P8 补偿收缩混凝土作防渗面板，混凝土配合比 1∶2.14∶3.63∶0.47，掺膨胀剂 14%~15%，木钙 0.25%。整个面板由下而上分层浇筑，每层高 3~4m，共 14 层，面板厚 240~600mm，于 1991 年 1 月全部筑完，1994 年通过竣工验收，评价为"该坝总的运行情况良好，虽有少量渗漏，但不影响大坝运行安全，损失的水量与水库水面蒸发量相比极小，渗漏量为（2.1~2.3）×10^{-5}L/（s·m·m^2），而国外几座碾压坝的渗漏量为本工程的 9~85 倍。由此可见，本工程采用的补偿收缩混凝土防渗面板是成功的，防渗效果是良好的"。1991 年 11 月，参加国际碾压混凝土大坝会议的英、法、澳等 8 个国家、10 多位专家前通过参观考察，一致予以肯定。

（2）马沙沟水库大坝

贵州习水电厂工程马沙沟水库大坝为混凝土面板堆石坝，最大坝高 80.7m，面板厚度由 0.6m 渐变至 0.3m，坝趾板厚度

0.6m，面板坝采用 C25P8 AEA 补偿收缩混凝土，其配合比见表6。AEA 混凝土在 3～7d 产生 60～80$\mu\varepsilon$，54d 回落至接近零；普通混凝土产生的收缩值为 40～60$\mu\varepsilon$。说明 AEA 膨胀剂对混凝土起到显著的膨胀和减缩效果。

表6　AEA 补偿收缩混凝土配合比（kg/m³）

编号	W	C	F	S	G	AEA (%)	SF-1 (%)	TG-1 (%)	坍落度 (mm)
1	133	231	58	846	1496	0	0.6	1.0	40～60
2	135	235	59	822	1517	8	0.6	1.0	40～60
3	170	296	74	931	1335	8	0.6	0.6	160～180

（3）浙江珊溪水库面板堆石坝

混凝土面板长 414m，分为 38 块，面板厚度 0.68m～0.3m，最大斜长 222.55m，面板总面积 6.88 万 m²，混凝土量 3.12 万 m³。混凝土设计强度等级 C25，抗渗等级 P12，抗冻等级 F100；采用 P.O 42.5 水泥，中小石比例 45%：55%，砂率 35%，掺一级粉煤灰、高效减水剂、引气剂和抗裂膨胀剂 VF－Ⅱ，水泥用量 287kg/m³，粉煤灰 51kg/m³，VF－Ⅱ 27kg/m³，水灰比小于 0.4，入仓混凝土的坍落度为 30～40mm。补偿收缩混凝土 7d 膨胀率为 87$\mu\varepsilon$，28d 为 96$\mu\varepsilon$，干空 60d 为 98$\mu\varepsilon$。1999 年 11 月施工，2000 年 1 月结束，国内外专家曾六次实地调查，在面积为 3.88 万 m²的面板上，均未发现裂缝。

（4）蓄能电站

十三陵蓄能电站装有 4 台机组，压力钢管为穿山管道单管双机布置，由斜段和水平段组成。长度分别为 1 号 448.369m 及 2 号 448.988m，管道开挖断面为 6.4m×7.2m 的马蹄形，钢管 ϕ5.2m。按传统设计，钢管与岩壁间用普通混凝土回填，但由于混凝土产生收缩，需进行二次钻孔灌浆。相关单位通过大量试验，确定用 UEA 膨胀混凝土（表7）回填，混凝土强度等级 C25，14d 水中限制膨胀率为 2×10^{-4}～3×10^{-4}。

表 7　UEA 混凝土配合比及性能

| 编号 | 混凝土配合比（kg/m³） | | | | | | | 坍落度（mm） | | 抗压强度（MPa） | | 限制膨胀率（×10⁻⁴） | | 自由膨胀率（×10⁻⁴） | |
| | 水泥 | UEA | 砂 | 石 | | H6 | W | | | | | | | | |
				5～20mm	20～40mm			0	30 min	7d	28d	7d	14d	7d	14d
1	312	43	823	1047	—	2.13	195	145	14	25.4	30.4	3.1	3.4	3.9	4.9
2	304	42	758	568	568	2.08	180	160	15	28.8	33.2	2.5	3.4	4.5	4.8

采用 UEA 混凝土作为压力钢管传力结构并承担外水压力的作用，取代二次灌浆，在国内水电工程压力管道回填混凝土施工国内尚是首次。广州花县蓄能电站一期钢衬回填采用普通混凝土，渗水严重。经对十三陵蓄能电站的考察，在二期工程采用 UEA 膨胀混凝土回填，取得良好效果。

5　地铁工程

（1）天津地铁西站西北角地铁箱涵

补偿收缩混凝土于 1978 年首先应用于天津地铁西站西北角地铁箱涵 121、122 箱（图 7）中，共 7 节，每节 18m×9.1m×6.0m，C30P12 混凝土明矾石膨胀水泥配制，取消原设计的外防

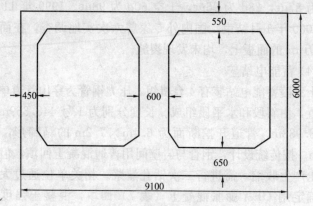

图 7　地铁箱涵结构尺寸

水。水泥用量 410kg/m³，配合比 1：1.59：2.95：0.43，混凝土的自由膨胀率 3.4×10⁻⁴，限制膨胀率 1.58×10⁻⁴。完工后抽水井停止抽水，地下水上升且高于地铁箱体顶部，没有发现渗水。

（2）天津西站地铁工程

天津西站地铁工程全长 136m 分 8 节箱，一节长 10m，二至八节 18m。配筋率 1.2%，混凝土的含钢量 100kg/m³；箱体高 6m、宽 9.1m、厚 450～550mm。由于该段地铁通过天津西站，不能大开挖，只能用墩向法，边挖土边顶进；不能采用外防水，水位 1.5m；决定使用 C25P12 明矾石膨胀水泥自防水混凝土。箱预制好后，逐节顶进。

混凝土配合比 1：1.59：2.95，水泥用量 410～418kg/m³，掺入减水剂 NNO，$W/C=0.42～0.43$，碎石 5～40mm，混合级配，中砂细度模数 3.06。现场混凝土 28d 抗压强度 32～35MPa，一年 50～55MPa，混凝土膨胀率 3×10⁻⁴～5×10⁻⁴。

表 8　钢筋应变计变形计算结果

测　点	1d 应变（με）	5d 应变（με）	7d 应变（με）
90	1.06	1.19	1.03
16	1.18	1.28	1.13
2	0.86	0.95	0.68
60	1.19	1.30	1.22
06	0.44	0.63	0.56
86	1.91	0.63	1.88
56	2.00	2.00	1.93

施工单位与科研单位合作，在箱涵不同部位埋入钢弦应变仪共 23 个，现场测定结果如表 8 所列，箱涵混凝土限制应变值 5d 时为 0.6×10⁻⁴～2×10⁻⁴，导入自应力值 0.2～0.45MPa，90d 后，限制应变值因干缩减少，但仍保留 0.2×10⁻⁴～0.5×10⁻⁴

的膨胀变形，该项目获天津市科技进步一等奖。

（3）青岛地铁

青岛地铁规划总长 114.3km，其中有 13 座车站和一个车辆段，站间平均距离 1.35km。青岛火车站、地铁车站和地下街、地下车库两部分组成地下综合广场，建筑面积为 33905m²。工程为整体性闭合式刚性结构，处于海平面以下 −11.5m，顶板为600mm 厚钢筋混凝土无梁盖板，底板厚 300～400mm，外墙厚400mm，最厚 600mm。工程防水设计由结构自防水和附加防水层两部分组成。混凝土等级 C40P8、C30P8，主体混凝土为68843m³，地下结构外防水面积为 79700m²。为减免收缩裂缝，全部采用 UEA 补偿收缩混凝土，1994 年 8 月完工。该混凝土配合比见表 9。

表 9　UEA 补偿收缩泵送混凝土配合比（kg/m³）

设计等级	砂率（%）	水灰比	水泥	UEA	砂	石子	UNF-5	水	坍落度（mm）
C40P8	38	0.468	417	65	636	1038	3.40	195	135
C30P8	42	0.565	360	49	720	997	1.80	203	120

随后青岛市地铁公司组织试验段施工，青纺医院车站长218.5m，宽 18.5m，高 14m，埋深约 10m。该站至水清沟区间长 1240m，断面高 5.4m，宽 4.7m，埋深约 15m。试验段地层大部分为花岗岩基岩，地下水较贫乏，主要是基岩裂隙水。

车站结构防水设计分别采用：复合式衬砌，锚喷混凝土衬砌，模筑钢筋混凝土衬砌三种形式；区段防水措施为塑料管排水和喷射防水混凝土。该试验段已完成，基本无渗漏现象。青岛地铁公司总结认为，结构防水应按以防为主、防排结合、因地制宜、综合治理的原则进行。由于混凝土采用了掺 UEA 膨胀剂或IJ 防水剂，洞内湿度大，混凝土养护条件好，混凝土收缩变形小，施工缝几乎无缝，复合衬砌结构的防水效果主要取决于二次衬砌防水的质量及施工缝的质量。应积极推广补偿收缩混凝土，同时，可在小断面结构采用二次衬砌中取消中间隔膜。

6　桥梁和道路工程

（1）上海南浦大桥与杨浦大桥高强度接缝混凝土应用

南浦大桥主桥宽30.35m，长846m，采用叠合梁结构，靠斜拉索与桥塔固定，桥面采用预制钢筋混凝土板，面板接缝宽400～600mm，接缝混凝土要求大流动度和微膨胀性能，其3d抗压强度大于40MPa，28d抗压强度大于60MPa。

经上海市建科院研究，采用UEA高强混凝土，现场试件平均抗压强度3d为46MPa、28d为65MPa，限制膨胀率在$1×10^{-4}$左右，1991年6月通车至今运行良好。杨浦大桥也采用了补偿收缩混凝土用于接缝工程。

（2）北京前门地下人行通道

北京前门地下通道采用"盖挖法"建造二座地下人行通道。为了确保顶板侧墙抗裂防渗效果，设计单位选用UEA商品混凝土浇筑，1991年冬季施工，混凝土配合比见表10，设计指标C30P12。混凝土工程大致按顶板、L形底板，侧墙，封底板等顺序施工。顶板一次浇筑成型，不留后浇带，墙体和顶板连接一次到位，不留"刹肩"。为了检验膨胀效果，顶板内预埋应变计，测试结果见图8，表明结构中产生$100～200\mu\varepsilon$的膨胀系数。在墙体和顶板结合处预埋BW型微型压力盒，界面受力情况如图9，由此可见，3d前压应力增加很快，以后逐渐变慢，和膨胀率室内试验结果基本吻合。混凝土表面光滑，无裂缝。

表10　混凝土配合比

配合比	水泥品种	混凝土配合比（kg/m³）					抗冻剂（%）	水胶比	砂率（%）	坍落度（mm）
		C	UEA	S	G	W				
1	硅52.5	344	46	700	1095	187	2	0.48	39	200～220
2	硅52.5R	387	53	726	1112	202	3～5	0.46	36	220～240

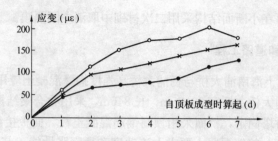

图 8　顶板 UEA 混凝土内应变-时间曲线

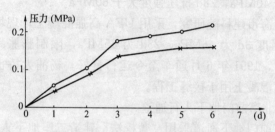

图 9　墙体和顶板结合部界面压应力-时间曲线

（3）北京西客站市政配套公路隧道（1993 年）

北京西客站市政配套工程的重点是专用公路隧道，是当时国内最长的市政隧道工程，埋置于地平线口下 10.5m，暗洞长度 410m，加两端出入口路堑总长约 680m，结构为钢筋混凝土双孔闭合结构，双向六车道，上下行分离，每孔宽 14.1m，净高 5.5m，工程全部按防水、抗渗要求施工。有防水抗渗要求的混凝土数量达 8 万 m³，表面积则达 85000m²。混凝土设计强度等级 C30，内掺 12％UEA 混凝土膨胀剂。不仅解决了抗渗问题，而且将伸缩缝距离延长到 35～40m，而采用普通混凝土施工的市政工程伸缩缝距离一般控制在 20～25m。实践证明，UEA 抗裂防渗效果良好。

7　核电站工程

近 30 年来，国内外核电站作为新能源得到较大发展。核电站涉及具有防辐射的大体积混凝土结构工程和冷却水系统的防渗混凝土结构工程等，对混凝土的性能要求很高。采用了掺膨胀剂的补偿收缩混凝土，作为控制核电站混凝土结构裂缝一个重要手段。

（1）广州辐照中心

广州辐照中心建筑面积 3861.6m²，最大装源量 100 万居里的辐照装置。为了周围环境防护安全，为了使工作人员避免 γ 射线的危害，整个辐照装置采用封闭式结构，辐照室采用掺 UEA 膨胀剂的屏蔽混凝土，墙厚达 2m，顶板厚 2340m²。于 1992 年建成。

（2）江苏田湾核电站

田湾核电站参照秦山核电站二期工程的成功经验，应用 AEA 和 UEA 膨胀剂，制成补偿收缩混凝土，与没有掺膨胀剂的地下建筑相比，应用效果非常良好。田湾核电站安全厂用水给水隧洞采用 AEA 混凝土，用量 4869m³，排水暗沟混凝土用量 11936m³。厂外引水隧洞及进水构筑物工程混凝土量约 10 万 m³，设计指标 C30 P8。AEA 混凝土配合比见表 11。

混凝土 28d 抗压强度平均 39.2MPa，抗冻、抗渗指标均满足设计要求，混凝土中掺入 AEA 膨胀剂后，其显著特点在于很大改善了混凝土的抗裂性能，本工程地下洞室 φ6m×12m 圆形隧洞以及进水构筑物大体积底板和宽面顶板混凝土均为一次性成型并且部分在高温期施工，均未发现明显开裂现象。比较而言，普通混凝土和一般施工方法不能达到这样好的效果。

表 11　混凝土配合比（kg/m³）

设计指标	坍落度(mm)	水胶比	水	水泥	粉煤灰	减水剂	引气剂	砂	石子	AEA
C30P8 F250	120±20	0.44	185	275	103	3.3	0.148	648	1068	41
C30P8	180±20	0.50	192	275	71	4.12	—	743	1038	35

（3）西北核基地 404 厂

西北核基地 404 厂的核动力堆废燃料后处理中间试验厂，将处理核电站产生的废气燃料达 1000t，将铀和钚进行回收，再循环到核电站使用。设计时，采用多道屏障纵深防御，对钢筋混凝土防辐射结构而言，采用了掺 10％UEA 膨胀剂的补偿收缩重混凝土密度 3000～4000kg/m³，混凝土用量 1045m³，该工程已完工，达到预期的抗裂与防辐射效果。

8 体育场馆工程

露天体育场看台是特种钢筋混凝土框架结构。上面是观众席，下面是多功能的体育用房和设备间。看台相当于一个巨大的异形屋面，除满足成千上万的观众欣赏体育比赛外，还要保证看台不渗水。

露天看台存在震动荷载和温差变化的影响，我国选用掺UEA 的补偿收缩混凝土解决现浇钢筋混凝土看台的抗裂防渗问题，结构自防水，取消外防水。这一新技术首用于国家奥林匹克体育中心田径场，此后陆续用于厦门、深圳、绵阳、天津、沈阳、长沙、十堰和非洲的吉布提等体育场馆及游泳池、滑冰场等。

（1）国奥体育中心田径场

国家奥林匹克体育中心田径场是 11 届亚运会主要比赛场所，东西两个看台总面积 12000m²，以变形缝分 10 个结构单元，每个单元为长宽各 30m 的扇形平面，阶梯形看台板，平板厚80mm，主板厚 120mm，配筋率约 0.8％，设计指标 C25P8，混凝土内掺 12％UEA，配合比见表 12。1988 年 6 月施工，1989年 7 月完成。混凝土限制膨胀率在 $2 \times 10^{-4} \sim 4 \times 10^{-4}$ 之间，自应力值为 0.2～0.6MPa。

高架平台：环形平台约 ϕ120m，宽 10～20m 不等，面积47000m²，密肋梁板，配筋率 0.88％，板厚 0.1～0.12m，现浇钢筋混凝土板内掺 13％UEA，部分采用 C30 泵送混凝土，配合

比 为 $1:1.93:3.16:0.49$，水 泥 用 量 $325kg/m^3$，坍 落 度 $160mm$。

表 12　国家奥林匹克体育中心田径场混凝土配合比（kg/m^3）

原水泥标号	水泥	UEA	砂子	石子	水	减水剂
325 号	349	48	716	1167	177	2.39
425 号	304	42	735	1200	170	2.08
525 号	265	36	754	1230	172	1.81

曲棍球场看台：面积 $3000m^2$，厚 $200\sim250mm$，C25P8 混凝土，膨胀率为 $2\times10^{-4}\sim3.1\times10^{-4}$，自应力值 $0.2\sim0.4MPa$。

上述工程刚性防水面积共计 $380000m^2$，居我国同类防水做法之冠。是亚运工程中惟一荣获国家银质奖的工程。

（2）深圳市体育场看台

深圳市体育场建筑面积 $41168m^2$，环形看台 $24892m^2$，设 34958 个座位，共 12 个看台区。看台为钢筋混凝土框架结构，每段高 30m，宽 60m，板厚 7cm，每段之间设伸缩缝。采用 UEA 补偿收缩混凝土作结构自防水，并在 60m 中间设一膨胀加强带（掺 15％UEA）。采用泵送混凝土浇筑。1991 年 9 月施工，1992 年 6 月 30 日完成主体工程。是国内采用 UEA 膨胀剂混凝土作结构自防水面积最大的看台。

（3）非洲吉布提共和国体育中心看台

该体育中心是我国援建项目，分东西看台，面积 $4200m^2$，钢筋混凝土框架结构。板厚 $80\sim120mm$。吉布提共和国在红海边，气温在 38℃，为防止混凝土干缩开裂，采用 C30P8 泵送补偿收缩混凝土浇筑。掺入 12％UEA，木钙和法国产塑化剂。经过炎夏气候考验，无裂渗现象，吉布提共和国政府十分满意。

9　港工工程

在港工工程中由于干缩和冷缩，建筑表面或内部也不可避免会出现有害裂缝，它们成为海水化学侵蚀和水分迁移的渠道，会加速混凝土的破坏。所以防止或减少海工建筑开裂，提高其本身密实性和不透水性是至关重要的。采用膨胀剂提高海工混凝土的耐久性是有效的。近几年来，我国港工建筑界采用掺 UEA 的膨胀混凝土，应用于水运工程混凝土结构的闭合块、船坞及船台底板等大体积混凝土、后浇缝及修补空洞，取得良好效果。

（1）福清围垦水闸

1980 年福建省水电勘察设计院用明矾石膨胀水泥混凝土建造福清围垦水闸，长年浸在海水中，经 12 年考察，使用良好。

（2）膨胀混凝土耐海水性能长期试验

天津港湾工程研究所对掺膨胀剂混凝土的耐海水性能进行长期试验研究，图 10 是试件泡浸在海水浴场 5 年后的实物照片，外形完整，无崩裂现象。

图 10　UEA 混凝土试件海水泡浸 5 年后的形貌

（3）大连港务局基地楼

大连港务局基地楼坐落在海边，11 层，地下一层为停车库，长 46m，宽 15.8m，高 4m。工程地址比较复杂，地下水位随海水涨落而变动。地基 100 多根桩与底板连结一起，采用防水卷材施工十分困难、质量也无保证，后全部采用 UEA 自防水混凝土浇筑，经15年考验，不裂不渗。

（4）大连老虎滩海豚表演场

大连老虎滩海豚表演场是我国大陆第一大永久性海洋动物表演场，位于海边，由三个圆形水池组成，最大的直径15m，深3.5m，另两个为直径9m深3m。用UEA混凝土建造。

10 高性能混凝土

高性能混凝土（high performance concrete）简称HPC，大多应用于C50～C80梁、柱结构，我国已把HPC应用于大体积、大面积等高层建筑和超长建筑结构，其焦点是如何控制和防止裂缝。加入适量膨胀剂有利于减免早期内部裂缝，补偿收缩性能在HPC中可以发挥好的作用。

（1）首都机场停车楼

该楼地下4层，地上1层，262m×137m，总建筑面积16.7万m^2，为预应力框架结构，除底板4.2万m^3 C40 P8混凝土外，梁板、墙、柱均为C50 C60高性能混凝土，约10万m^3。采用北京水泥P.O 42.5，C50、C60水泥用量分别为300kg/m^{3}和340kg/m^3，掺入110～40kg/m^{3}细磨矿渣粉，55kg/m^{3}复合UEA。坍落度200～240mm，扩散度大于550mm，28d强度达110%～142%。

（2）北京通产大厦

建筑面积1000m^2，其中底板混凝土5800m^3，厚度1.2～1.4m，C45 P8混凝土，一次浇筑。采用北京P.O42.5水泥，用量300kg/m^3，细磨矿渣粉120kg/m^3，UEA 50kg/m^{3}和高效减水剂。坍落度180～220mm，72h浇筑完毕。底板最大温差19℃，28d强度达119%～139%，60d平均强度达63.7MPa，14d后检查混凝土表面无裂缝。

（3）北京城建集团机场混凝土搅拌站

表13列出了北京城建集团机场混凝土搅拌站配制的C50～C60UEA补偿收缩高性能混凝土技术参数。掺加UEA 12%的

C60 高性能混凝土，7d 限制膨胀率为 2×10^{-4}；14d 为 2.2×10^{-4}；28d 为 2.5×10^{-4}；说明同具有补偿收缩效应，提高了抗裂性。在空气中养护 100d 自由收缩率为 4×10^{-4}，比普通 HPC 略小。

表 13　混凝土配合比（kg/m³）

水泥	编号	水泥	粉煤灰	矿渣粉	UEA	砂	石	外加剂（%）	总水量	坍落度（mm）		强度（MPa）		
										0	1h	3d	7d	28d
邯郸 P.O 42.5	1	481	99	—	—	563	1048	5	175	220	170	39.1	49.6	62.4
	2	345	—	186	—	595	1104	5	170	210	180	45.8	55.4	69.5
	3	313	—	186	65	586	1086	5	170	210	170	56.4	60.8	71.4
	5	296	—	191	60	587	1091	5	175	210	180	49.8	61.0	72.3
	6	441	70	—	60	566	1052	5	180	220	200	47.3	58.4	68.9
冀东 P.I 52.5R	1	420	89	—	—	608	1071	4	178	220	210	50.8	60.5	72.4
	2	354	—	190	—	585	1068	4	185	230	200	42.8	56.9	71.2
	3	321	—	190	65	576	1068	4	185	210	210	41.5	55.6	73.5
	4	389	92	—	56	581	1077	4	172	240	220	42.9	58.3	76.0
冀东 P.II 42.5R	1	481	99	—	—	563	1048	5	170	220	170	47.8	55.4	69.8
	2	345	—	186	—	595	1104	5	170	235	210	46.9	55.7	71.8
	3	313	—	186	64	586	1086	5	170	240	240	53.1	62.0	73.5
	4	296	—	191	60	587	1091	5	175	240	200	52.0	60.5	74.1

11　灌注桩工程

中国建筑材料科学研究院于 1993 年研制成功灌注桩膨胀剂（Piles Expansing Agent）简称 PEA，1998 年，获建材行业科技进步奖。后经改进，PEA 掺量（替代水泥率）从 15%～20% 降至 12%～15%，由于产生钙矾石结晶膨胀，1:2 砂浆限制膨胀率大于 0.10%，C30 混凝土的限制膨胀率为 $5 \times 10^{-4} \sim 7 \times 10^{-4}$，自由膨胀率为 $15 \times 10^{-4} \sim 30 \times 10^{-4}$。PEA 混凝土坍落度为

160～180mm。

江西省建筑科学研究院与江西省机械施工公司基础分公司在南昌站前四路综合楼、南昌市人大办公楼和南昌市文教住宅楼三个工地，进行了掺与不掺 PEA 桩的对比试验。结果表明，掺入 15％～20％PEA 后，与普通桩相比，单桩承载力提高 20％～50％。沉降量降低 50％左右，采用静载法测定的 PEA 桩与普通桩的 $Q\text{-}S$ 曲线见图 11，由此可见，在同一沉降量下，PEA 桩所对应的荷载比普通桩要大得多，而在同一荷载下，PEA 桩又比普通桩的沉降量小得多。其原理是 PEA 使混凝土桩产生径向体

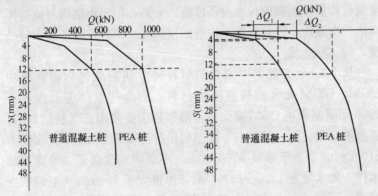

图 11　PEA 桩与普通桩的 $Q\text{-}S$ 曲线图

积膨胀，它对桩孔四周土层起挤压作用，使周壁黏土的孔隙率减小，水分降低，剪切应力增大，增强了桩与土的摩擦力，与此同时，由于 PEA 混凝土桩产生竖向膨胀作用，使桩底的次渣与桩底土受高压力而致密，提高了桩底土的极限强度。这种径向和竖向膨胀的综合效应，使灌柱桩的垂直和水平承载力显著提高。

1992 年，在天津微型汽车制造厂锻压车间地基，浇筑 200 多根 PEA 桩，C20 混凝土掺入 20％、25％PEA，单桩承载力比普通桩提高 20％～25％。1993 年，由天津市建筑设计院设计的天津中山大厦地基群桩，掺入 20％ PEA，单桩承载力提高 15％～23％，节省 100 多根 ϕ800mm 桩。1994 年由中南建筑设

计院设计的湖北孝感人民银行营业楼地基，经中科院岩土所静载检测，PEA 桩提高单桩承载力 24%左右，因此减少 14 根桩。

PEA 桩从材料角度提高灌注桩的承载力和质量，技术新颖，施工简易，技术经济效益显著，给摩擦桩的设计和施工带来技术进步，正在桩基工程逐步推广。

12   二次灌注工程

我国从国外进口不少机械设备，国外承包商为了提高设备安装的精度和使用寿命，大多规定用无收缩、高强度、流动性大的灌浆材料灌注地脚螺栓和设备底座，另外，用于钢结构与地基杯口的二次灌注，以及混凝土构件的接头等。国外这种产品十分昂贵，约 40000 元/t。

从 1989 年开始，中国建筑材料科学研究院先后研制成功 UGM、WGM 无收缩高强灌浆材料，冶金建筑研究总院，于 1990 年研制成功 CGM 灌浆料。灌浆料主要是由高强胶结材料，膨胀剂、流化剂、调凝剂、保塑剂和石英砂复配而成。干密度为 2100kg/m³，对于厚度 50～150mm 小空间二次灌浆，可直接加水拌，加水量为 13%～15%。对于厚度大于 150mm 大空间二次灌浆，可加入 5～10mm 粒径的石子，灌浆料与石子比例为 1:0.3,加水量为 20%左右。

从 1989 年至 2004 年，累计用量约 10 万 t，先后应用于北京第一机床厂的西德进口 23.8m 导轨磨床、5m 龙门铣床，天津大港电厂的意大利进口汽轮机组，重庆江北氮肥厂的美国多功能压缩机，天津无缝钢管厂的意大利成套设备，上海造船厂的日本热压机组，长春一汽公司的德国大型精密镗床，连云港田湾电站的俄罗斯汽轮机组，江西德兴铜矿的美国大型球磨机，三峡水轮发电机组等数百个设备二次灌浆工程。

13   水泥制品

中国建筑材料科学研究院在 1990 年研制成功自应力膨胀剂

SEA，在普通水泥中掺入 20%～25%，拌制成自应力混凝土，自应力值可达 2.5～4.0MPa。

石家庄市水泥制品厂、山东莱西水泥制品厂、南京水泥制品厂等试制 ϕ100mm、ϕ200mm、ϕ400mm 钢筋混凝土压力管，试水压力为 0.8～1.0MPa，28d 抗压强度大于 50MPa。

苏州混凝土水泥制品研究院，在水泥中掺入 AEA 膨胀剂作混凝土排水管，以 ϕ120mm×2370mm×90mm 排水管为例，掺入 12.5%AEA 膨胀剂的混凝土排水管，能显著提高管子的密实度和荷载值。

生产 ϕ1400mm×5000m×100mm 三阶段预应力混凝土压力管时，在水泥中掺入 12.5% AEA 膨胀剂，管芯的一次合格率由不掺膨胀剂时的 15%～20% 提高到 50%～65%，产量提高一倍多，大大减少修补工作量。膨胀剂还大量用于钢管混凝土构件，应用于桥梁、厂房桩基工程。

责任编辑：孙玉珍
封面设计：贺　伟

统一书号：15112·14416
定　　价：**16.00** 元

RISN-TG002-2006

补偿收缩混凝土应用技术导则

Technical guidelines for shrinkage compensating concrete

建设部标准定额研究所　编

RIISN

中国建筑工业出版社